9/21

LES COUPLETS

LE GRENIER, *roman*, Anne Carrière, 2000.

JE PRENDS RACINE, *roman*, Anne Carrière, 2001.

LA REINE CLAUDE, *roman*, Stock, 2002.

POURQUOI TU M'AIMES PAS ?, *roman*, Fayard, 2003.

VOUS PARLER D'ELLE, *roman*, Fayard, 2004.

INSECTE, *nouvelles*, Fayard, 2006.

ON N'EMPÊCHE PAS UN PETIT CŒUR D'AIMER, *nouvelles*, Fayard, 2007.

DESSOUS, C'EST L'ENFER, *roman*, Fayard, 2008.

LES CRIS, *roman*, Fayard, 2010.

LES BULLES, *nouvelles*, Fayard, 2010.

LES MERVEILLES, *roman*, Grasset, 2012.

CLAIRE CASTILLON

LES COUPLETS

nouvelles

BERNARD GRASSET
PARIS

Photo de la bande : J.-F. Paga

ISBN : 978-2-246-80397-3

Honfleur

La semaine dernière, mon boyfriend avait loué un cabriolet. A l'aube, il est passé chez moi pour m'embarquer en Belgique. Il sortait d'une nuit blanche avec son équipe. Pendant que j'émergeais avec un lait chaud, il s'est assoupi sur mon pouf avec une vodka. Dès qu'il arrive ici, il s'endort. J'aime quand il se laisse aller avec moi à une forme de quotidien. Afin de ne pas décourager sa spontanéité, j'ai gardé secrète la dent que j'ai contre les visites à l'improviste et les départs inopinés. A la hâte, comme sa petite femme décontractée, j'ai organisé la garde de Sugus.

Mon boyfriend s'est réveillé une heure plus tard. Je dosais les croquettes de Sugus, tâche que ma sœur, piètre dog-sitter, est incapable d'accomplir. Elle n'en fait qu'à sa tête, elle lui donne trop peu alors il a faim ; du coup, elle lui donne beaucoup et il vomit.

— Confier son toutou est bien compliqué ! ai-je expliqué à mon olibrius qui regardait le plafond.

Je lui parlais soudain avec naturel. Je me sentais complètement installée dans notre histoire. Il bâillait à bouche que veux-tu et je lui ai demandé de mettre sa main et d'éviter de se rendormir. Après, il est décalé, et le soir venu, il fait les pieds au mur.

Je me suis ensuite retirée dans mes appartements pour finir ma toilette et penser mon sac. Quand on part à l'étranger, il faut toujours emporter le minimum nécessaire. Si on est coincé, au moins, on est tranquille. Mon boyfriend a surgi et sauté sur mon lit en beuglant Magne-toi, tu seras rentrée ce soir !

Après, il s'est tu un instant, il m'a regardée intensément, et il m'a dit que mon blush orange était beau et bizarre à la fois.

— Tu n'es pas sensible à l'effet soleil ?

— Si. C'est un style. Mais orange. Lumineux et orange à la fois.

Puis, il a éclaté de rire en remarquant les chaussures que j'avais préparées.

— De vraies chaussures de randonnée !

Quoi ? Quand je visite une ville, je ne me rends pas à un défilé de mode, et j'aime me sentir à mon aise pour marcher longtemps. On ne voyage pas en talons.

J'ai pesté contre ses croquenots qui foulaient ma moquette blanche. Juste après, j'ai rattrapé le coup et, me montrant bohème, je lui ai tiré la langue avant de lui jeter un coussin au visage. Sauvageonne, libre, Olympe de Gouges, ou Romy Schneider dans *Sissi*. Enfin Sissi avant la Cour, parce qu'après, la pauvre… On a bien ri. Il a plaisanté à propos de son désir pour moi, la bourgeoise. Je lui ai demandé de ne pas tout galvauder. Il a répondu Grouille, viens te faire galvauder chez les Belges !

— Va te faire voir toi-même !

Il s'est assis sur le dessus de lit. J'ai préféré passer outre. Il a pris sa tête dans ses mains. C'était le bon moment pour lui parler avec sérieux.

— Ne sois pas si pressé, la Belgique ne disparaîtra pas, laisse-moi le temps de faire ouf ! La nouba avec les copains, soit, mais tu vis vraiment comme un adolescent. Tu as quarante ans. Vas-tu t'assagir ? Tu habites un meublé, tu loues des voitures… Quand te décideras-tu à posséder quelque chose à toi ?

— Insinuerais-tu que je fuis ? a-t-il murmuré en baissant les yeux.

Il avait entendu le message. Pas la peine d'en dire plus. Il est retourné au salon. Main de fer dans gant de velours, c'est tout moi.

Quand je suis allée le rejoindre pour savoir si la journée belge contiendrait la soirée ou pas, et si je devais donc emporter un change pour le soir – et quel genre de soir –, ou si ma tenue de voyage relativement sportswear mais infroissable ferait l'affaire, il n'était plus là. Il m'avait laissé un mot signé d'un cœur et stipulant qu'à son grand regret, nous reportions notre escapade au week-end suivant. Son équipe venait de lui téléphoner.

J'ai entendu sa voiture démarrer, et je me suis penchée à la fenêtre en peignoir. Vue du ciel, elle ressemblait à une baignoire. Loin d'être dépitée, j'étais soulagée. Les annonces de départs imminents et les effets surprise me rendent malade. J'ai besoin de savoir. J'aime prévoir. Mon boyfriend doit se le mettre dans le crâne. Depuis un mois que nous sommes ensemble, les trois fois où nous nous sommes vus m'ont laissée épuisée. Il arrive sans planifier et je ne m'y ferai pas. Si je me prépare pour l'attendre, rien ne se passe. Quand, au contraire, je n'ai pas envie de me faire présentable, je suis obligée de plonger le salon dans le noir et de filtrer mes appels téléphoniques. Je me dis que de la rue, voyant mes fenêtres éteintes, il passera son chemin. Peau de balle ! Il sonne à la porte ! Je me prive donc d'aïoli, mon plat préféré. Soyons logiques. Il m'est arrivé de remettre en cause son haleine avinée, alors de mon côté, je ne peux pas me permettre de sentir le macaque quand il se pointe à l'improviste.

Je me suis offert une diète en vue d'une jolie ligne et d'un teint éclatant pour le week-end suivant. J'étais enchantée par cette perspective de quelques jours pour me préparer à mon départ.

Mercredi, mon boyfriend m'a téléphoné. Il m'a demandé mon point de vue sur les occupations des couples durant les week-ends. J'ai compris sa peur cachée de me décevoir. Il était temps de faire un pas vers lui.

— J'entends ta question, lui ai-je dit. Un couple n'est pas obligé de surcharger son emploi du temps. Peut-être pourrons-nous de temps à autre réserver un spectacle, aller au cinéma… Mais tu sais, un bon fou rire ou une soirée entre amis font l'affaire ! A deux, marcher, lire, rêvasser, être là pour l'autre sont en elles-mêmes des occupations suffisantes.

— Et la mer ? Les love affairs partent à la mer. Je me trompe ? Honfleur ? Allez ! Vendredi, on part à Honfleur ! Il est bien d'usage d'emmener sa bourgeoise à Honfleur ? Et s'il pleut, on ne manquera pas de soleil avec ton blush lumineux. Et orange à la fois.

Ma sœur rechignant, j'ai confié pour cette fois Sugus à ma voisine. En échange, je m'occuperai de lui faire suivre son courrier l'été prochain. Donnant donnant. Les femmes seules développent un égoïsme forcené. On n'y peut rien. J'ai préparé mes bagages, une valise de taille cabine ainsi qu'un sac d'appoint contenant mes bottes de pluie. Nous pourrons le glisser sous le siège si le coffre est trop petit. Je suis prête à voyager avec mes paquets sur les genoux, mais je défie quiconque de critiquer mon paquetage.

Emporte juste ta bouche ! m'a suggéré mon boyfriend. Il m'embrasse pourtant rarement. J'imagine qu'il n'ose pas, nous n'en sommes qu'au début de notre love affair. Provocateur, il est adepte des anglicismes. J'y étais plutôt opposée mais mon boyfriend a su me convaincre. Quand nous faisons l'amour, il déraille en anglais et m'appelle Pussy, je crois que cela signifie petit chat. De mon côté, je lui apprends à parler correctement l'italien. Je ne supporte pas les péquenots qui prononcent le *g* de tagliatelle. Le *g* de tagliatelle fait vraiment toute la différence entre un homme distingué et un blaireau.

Vendredi soir. Vingt heures. Mon boyfriend est prudent. Comme quoi, tout arrive ! Pour emprunter l'autoroute, il attend certainement que le gros de la foule se soit dissipé. Nous aurons une route plus dégagée. Je suis prête, et la maison est rangée. J'ai fait le tour. Les volets de la chambre sont baissés. J'ai volontairement laissé ouverts ceux qui donnent sur la rue. Je ne veux pas que mon boyfriend les voie déjà rabattus au moment où il se garera en bas. Lui ouvrir trop brutalement les yeux sur mon organisation est une hérésie. Mieux vaut tout fermer en vitesse, comme si la rapidité, le naturel, étaient une seconde peau. Idem pour enfiler ma paire de chaussures. Maintenant? Non. Pas sur ma moquette. D'ailleurs, pieds nus, quand l'homme arrive, c'est bien; pieds nus, c'est détendu. Et si mon boyfriend me pense relax, c'est excellent pour mon sex-appeal. Les filles désorganisées trouvent toujours leur public masculin. Comme on dit chez moi, moins on fait son lit au carré, plus on a de succès. Les traîne-savates mettent les hommes à leur aise. Avec elles, ils n'ont pas à affronter cet éternel problème de se sentir à la hauteur ou pas. Qu'est-ce qu'il fabrique? Vingt et une heures. Il est aussi ponctuel qu'une horloge cassée! Tiens! Je la lui sortirai celle-là! Il rira!

Je vais quand même coller un pense-bête sur la porte pour me rappeler de fermer les fenêtres. Et un mot sur la vitre pour ne pas oublier la glacière. J'ai préparé des snacks au jambon. Il sera beaucoup trop tard si on dîne en arrivant là-bas.

Vingt-deux heures. Aussi ponctuel qu'un train en retard! Aussi pressé qu'un escargot! Plus lent qu'une tortue! Il rira!

S'il klaxonne, je ne descends pas. C'est à lui de monter et de porter mes paquets. On vient chercher une jeune fille à sa porte. Même si elle a trente-cinq ans passés. Je vais mettre mes bottines en daim.

Les bousiller dans l'eau de mer. Tant pis. J'ai bien compris, malgré les rires, qu'il n'était pas fanatique de mes godillots de marche. Je me souviens d'une affreuse paire de mocassins rouille, à glands, avec de grosses semelles. Ma mère me les avait rapportés, croyant réaliser mon rêve de chaussures sans bride, alors que je voulais des mocassins dans lesquels on pouvait glisser une pièce. Ennuyée de s'être trompée de modèle, ma mère me disait qu'on n'avait qu'à glisser la pièce dans ma chaussette, ce serait notre petit secret.

Vingt-trois heures. J'ai hâte de raconter mes souvenirs et mes blessures à mon boyfriend. Aura-t-il une bonne écoute ?

Pour mon salon, bien m'en a pris de choisir un chesterfield. Sur un canapé mou, je me serais avachie, endormie. Mal installée, j'ai pu veiller, écouter chaque bruit de la rue et de la nuit. Samedi midi, mon amie Yvette m'a téléphoné. J'ai cru que c'était mon boyfriend, alors j'ai crié. Elle a compris que je ruminais, elle est passée à la maison sans me prévenir pour me déposer des fruits.

— J'ai pensé qu'avec ton régime, tu préférerais des vitamines à des gâteaux.

— Des cerises ! Merci pour les calories, et pourquoi pas des bananes ?

— Il a été embrigadé par ses amis. Ils ont pris un verre, il n'a pas vu l'heure, il n'ose pas te téléphoner. Appelle-le !

— Jamais ! S'il me veut, il viendra sonner à ma porte. Et il me tiendra la portière de sa voiture. Gare à lui s'il ne s'excuse pas de son retard avec la main sur la couture du pantalon !

— Tu es un peu conventionnelle. Il a peut-être peur ? Avec toi, c'est la tentation de l'engagement. Laisse-lui le temps de se faire à l'idée qu'il est pris.

— Ta gueule.

Yvette a obéi. Mutique, elle a feuilleté une revue. Quand quelque chose lui plaisait, elle me le montrait avec un doigt et je poussais un râle. Elle s'est soudain extasiée devant une écuelle zébrée pour Sugus. Je l'ai menacée :

— Tu me parles encore une fois de mon chien, je t'éclate.

Vers six heures, le téléphone a sonné, c'était mon boyfriend. Il m'a dit Surprise, je suis au bout de ta rue ! Puis il a raccroché.

Yvette s'est jetée dans l'escalier, me conseillant de vite me ravaler la façade, et je l'ai serrée dans mes bras en la remerciant pour les fruits. Elle finira vieille fille mais elle a vraiment le cœur sur la main.

J'ai hésité à emporter la glacière avec mes bagages, j'ai pensé que les sandwiches de la veille avaient rassis. J'ai retapé le canapé, enfilé mes escarpins, et je suis descendue dans le hall. J'ai attendu. J'avais oublié de fermer les volets et d'aller aux toilettes. Mais remonter alors qu'il risquait d'arriver entre-temps était pure démence. Ce n'était pas le moment de me cacher. Les nœuds de mes souliers sont restés droits et dignes malgré le courant d'air. Ils veillaient, éclairant la porte de leurs petites pointes de strass.

Dimanche matin, la voisine, me croisant debout dans le hall de l'immeuble alors qu'elle sortait Sugus, m'a demandé si je trouvais correct de lui confier mon clébard jusqu'au dimanche soir alors que j'étais déjà rentrée. Elle m'a tendu la laisse de Sugus qui m'a joué la sarabande en mordillant sa queue. Je l'ai sorti, mon sac en bandoulière, mes hérissons au pied, ma valise dans une main et la glacière sous le bras. La voisine a crié Et merci, non ? Pas de merci ? Grossier personnage !

En faisant le tour du pâté de maisons, j'ai vérifié qu'aucune décapotable n'était en feu. Un jour, j'avais vu une voiture de course verser dans une rue très étroite. Et rester là, longtemps, couchée sur un côté, sans que personne n'appelle au secours. Je m'étais demandé si la vision était réelle ou venait de mes yeux.

En rentrant, j'ai téléphoné à mon boyfriend. Il m'a tout de suite reconnue.

— Bonjour ma grande, m'a-t-il dit. C'est gentil de m'appeler !

— Hier, tu m'as téléphoné. Tu étais dans ma rue.

— Hier ? Mais tu m'as cru ? C'était pour rire ! On est au ski avec l'équipe, il y a de la neige mais il fait chaud, tu adorerais ! Je t'appelle à mon retour et on se voit vite ! Je te fais plein de bises !

J'ai donné les snacks au jambon à Sugus. Il les a sentis, repoussés avec la truffe, décortiqués et crachés, puis il s'est endormi sur mon pied. J'ai retrouvé au fond de la glacière le sachet de glaçons. Ils avaient fondu. A travers le sac, j'ai vu nager quelque chose dans l'eau froide. J'ai pensé à Gorki, le poisson rouge que j'avais gagné, enfant, en achetant des chaussures. Moches, avec de grosses semelles, afin de marcher longtemps. Gorki était mort vieux, dévoré par une maladie de peau qui avait transformé son corps lumineux et orange à la fois en squelette marron.

Le foyer

Je suis l'homme, le père, je suis le responsable.
J'aime conduire la nuit, vitres fermées, musique
éteinte, ma femme assoupie à côté, nos enfants
silencieux à l'arrière. J'aime leurs respirations, le
bruit de la route, l'intime récital. Dans le coffre,
nous rapportons de vacances des pommes, des
prunes, un reste de rôti, et de la terre pour les
plantes du balcon. Sous le siège de ma femme,
une boîte percée héberge trois escargots, Dimitri,
Timothée, Oliver.

Dans dix kilomètres, j'ouvrirai la porte de notre
rez-de-chaussée, nous coucherons les enfants, moi,
les grands, et ma femme, le petit. Le petit aura du
mal à reconnaître sa chambre, il aura peur de la
lumière de la rue. Les grands s'exciteront en réclamant leur mère. Pendant qu'elle les endormira, je
trierai le courrier. Nous mangerons une tartine de
pain beurrée, nous boirons un verre de vin. Dans
ses yeux, j'apercevrai le reflet doré des vacances.

Sur son corps, au moment de nous coucher, je reconnaîtrai les traces délicates de son maillot une-pièce. Je la trouverai flamboyante.

J'aime rouler la nuit, à côté d'elle qui dort, la main sur ma cuisse. Elle est belle, incroyable-ment silencieuse parfois, ou folle, gaie, capable d'entraîner la famille entière dans sa danse géné-reuse. Je ramène nos enfants sous le toit que nous avons choisi ensemble, à une époque où elle disait pouvoir vivre n'importe où si c'était avec moi, et elle le dit encore, quand la place manque, quand le mur du couloir s'effrite. Jamais insatisfaite, elle m'admire de tenir la famille au chaud. Je ne connais pas d'autre femme au foyer qui remercie avec la même sincérité pour un bouquet de fleurs et le chauffage.

J'aime rentrer le soir à la maison. J'aime la che-minée, le feu, ma femme et mes enfants rassem-blés devant. J'aime garer la voiture, imaginer que mon attaché-case contient le gibier que je leur ai chassé et que je leur rapporte. J'aime marcher vers la porte, trousseau de clefs à la main, les regarder par la fenêtre. Ma femme n'a pas le même visage en mon absence. Les enfants, eux, si. Mais ma femme s'éclaire toujours quand elle me voit. Ma femme au foyer se consume. A table !

Elle aime sa famille, son œuf est bien complet et je suis sa coquille. Elle a eu le temps d'inviter du monde à dîner, pris celui de déposer l'appareil photo à réparer, elle a écrit un mot d'amour qu'elle a caché quelque part pour que je tombe dessus, un jour. Elle dit que la date n'a pas d'importance. Il sera valable dans mille ans.

Les enfants bercés par la route sont en confiance, abandonnés. Ma femme se réveille, elle a froid dans sa robe jaune, blanche ou bleue de fin d'été, alors elle se pelotonne sur le siège. Quand ses paupières se referment, je pense au cliché parfait, à l'indicible, au sentiment d'éternité.

Demain, après trois semaines d'absence, je retrouverai Hélène. Ensemble, nous irons déjeuner, moi, fort de lui avouer que je ne quitterai jamais ma femme, et elle, armée de sa décision de tout arrêter. Hélène détaillera son été pourri, je lui dirai la vérité sur mes vacances réussies. Elle ne comprendra pas pourquoi je suis amoureux d'elle si tout va si bien, là-bas. Quand elle dit là-bas, elle pense au désert, à l'enfer. Nous nous mettrons d'accord pour cesser de nous voir. Hélène quittera le café en larmes. Nous passerons l'après-midi meurtris, à nous regarder dans l'open space qui nous sert depuis trois ans d'appartement. Elle aura les yeux rouges. J'aurai la voix grave. Au téléphone, ma femme me demandera si je vais bien. Le soir, avant de rentrer, Hélène m'attendra au parking, elle montera dans ma voiture. Nous profiterons de nos vingt minutes quotidiennes, cachés dans la pénombre; et je la serrerai fort. Vite, nous programmerons un voyage d'affaires, une nuit et deux jours complets, comme en juin. Alors elle se jettera sur moi, je la déshabillerai. Enfin, nous ferons l'amour. A coups de hanches et de genoux, nous écraserons les coquilles de Dimitri, Timothée et Oliver, échappés durant la nuit de leur maison de fortune, au mur qui s'effrite, au plancher vermoulu, et oubliés avec les râteaux et les pelles, ce soir, sous le siège de ma femme.

Les courses

Le samedi, nous nous retrouvons autour d'une bourriche d'huîtres. Nous la rapportons du super-marché et, une fois les courses rangées, nous disposons une jolie table. Nous ne lésinons pas sur les accompagnements, beurre demi-sel, vinaigre d'échalote, ni sur la qualité du pain de seigle que Dominique rapporte le vendredi. Dominique achète aussi des gâteaux et des choux vides, ni sucrés, ni salés, que je remplis moi-même, soit de légumes en compotée, soit de glaces artisanales, et même de sorbets, quand l'été, je me lance dans les parfums melon, abricot ou fruits des bois. Après avoir essuyé plusieurs échecs à cause d'instruments bas de gamme, je me suis offert une sorbetière double fonction. Elle fait des boules. Je m'amuse, et je tire aussi du robinet intégré des glaces à l'italienne.

C'est moi qui m'occupe des achats de boucherie. Pieds de mouton, fraise de veau, longe de bœuf, poitrine de mouton, travers de porc, jarret, rognons, j'alterne. Quand je trouve des caillettes ardéchoises, j'en achète un stock que je congèle. Le cœur, l'épaule et le foie du porc, des cardes, une crépine et des herbes, rien de sorcier, mais je n'ai jamais été capable de les réussir moi-même. Je ne désespère pas, j'essaierai encore, car Dominique m'en réclame souvent. Et j'aime le combler. Ses journées sont harassantes. Il souffre de la réduction de personnel. Et le midi, goûter à mes petits plats lui réchauffe le cœur. De toute façon, quand j'en ai moi-même fini avec le travail, faire la cuisine en rentrant à la maison me détend. Pendant que je découpe, ma tête vagabonde. Je regarde les aliments rougir, se marier, parfois se détacher. Avec Dominique, nous partageons cette rêverie éveillée autour de la casserole. D'ailleurs, nos imaginations se ressemblent. Nous prenons souvent les balles de tennis pour des pommes, la neige pour du sucre glace et les nuages pour des blancs montés. Notre monde est devenu culinaire. Il nous arrive par exemple de croquer dans un savon parce qu'il nous tente. Quand nous le crachons, nous aimons nous raconter pourquoi.

Dominique est parfois traversé d'idées cannibales. Il goûterait volontiers la joue d'un prisonnier albinos, tant sa peau claire, presque mauve, le fait penser à de la langue de veau. Je ne suis pas choquée car il m'arrive, quand je change un vieillard, de trouver au bas de son dos, entre les plis de sa peau, la tendresse humide d'un gésier. A l'hôpital, je supporte l'odeur nauséabonde des couches du matin car ma pensée erre sans cesse vers mon pique-nique du déjeuner. C'est ma façon de subir mon métier sans l'endurer : je m'évade dans mon panier-repas. Avec Dominique, nous ne nous contentons pas de sandwiches, et nous préférons notre gamelle à la cuisine des réfectoires. C'est notre plaisir. En avalant la même chose, au même moment, nous pensons l'un à l'autre et nous rêvons à ce que nous mangerons le soir, en tête à tête. Avoir un but nous rassure.

La nourriture est notre seul plaisir. Si nous ne mangions pas, nous pourrions disparaître. La nourriture nous accompagne fidèlement, et tient les rênes de notre mémoire. Elle entraîne ainsi les muscles de notre passé. Nous nous rappellerons notre rencontre durant toute notre vie, grâce à la palette trop salée de notre première choucroute. Nous n'oublierons jamais notre mariage où le tajine avait fait l'unanimité. Nous avions été pointilleux sur la rareté des épices. Quant au gigot de sept heures qui a suivi ma fausse couche, il en a figé l'instant à jamais : Dominique était allé l'acheter dans une ferme. Il l'avait presque vu abattre.

Quand il sent transpirer le pâté à la crème sous la couette, comme on le faisait du temps de nos grand-mères, Dominique bande. Quand à son tour, il flambe des crevettes au pastis, je peux jouir.

Il nous arrive d'avoir les larmes aux yeux quand un plat nous bouleverse. Nous adorons aussi les desserts. Avant, nous prenions garde à ne pas en abuser. Mais les années passant, nous sommes tombés d'accord, et pour répondre à la tentation, nous y cédons. Nous grossissons doucement, de deux ou trois kilos par an. L'aiguille de notre poids sur la balance nous indique comme une rose des vents les points cardinaux de notre vie. Après s'être levée à l'ouest, un jour, l'aiguille se couchera à l'est. Et nous atteindrons, ensemble, notre date de péremption.

La bonne distance

Autant te prévenir, tu vas tomber raide. Mais n'y touche pas, elle est à moi, à moi pour toujours ! Je suis content de te la présenter. J'avais pourtant dit plus jamais, tu es témoin. Mais quand elle a glissé sa main dans la mienne, j'ai été foudroyé. Elle a pris mes doigts... Je te montre ! N'aie pas peur, donne ta main ! Nous remontions une rue, nous avons longé un muret, et j'ai senti pour la première fois la main de ma petite femme dans la mienne. J'en aurais pleuré !

J'étais con. Partant pour coucher avec une fille de temps à autre, je ne voulais plus m'attacher. Je me débrouillais avec les coups d'un soir et mon cœur était confortable. Tu te rappelles mon Italienne ? On s'est séparés quatre fois, j'ai tout tenté, même de vivre dans son bled. Rien n'allait. A la fin, elle voulait des enfants, j'ai dit oui, encore une fois, et là, elle m'a quitté. Pour un jeune, en plus, alors qu'elle se pavanait de notre différence d'âge et de sa fraîcheur indécente pour un vieux rogaton comme moi. L'amour ? J'avais dit plus jamais !

Et soudain, j'ai percuté le soleil. Tu verras… Tu marches dans le gris, et un rayon te traverse. Lumière, chaleur, extase ! Ah ! Ma petite chérie ! Son corps de reine ! Son sourire ! Je pourrais lui dire oui à tout. Mais comme je ne suis pas fou, je lui dis non.

Je t'explique. Elle est splendide, et elle ne repère même pas les regards des hommes sur elle. Tout le monde la convoite. Et elle ne voit que moi. Du coup, je fais gaffe. Devant elle, je reste froid. Un bloc de glace. De la tôle. Une fille comme ma petite chérie, si tu la traites trop bien, elle part. Donc je la brutalise. Depuis une semaine, j'évite de l'appeler ou bien je lui passe un coup de fil en vitesse pour prendre rendez-vous, et je raccroche sans l'embrasser. Je ne vais jamais la chercher chez elle. Elle me rejoint par ses propres moyens. Par exemple, on s'est vus hier soir au concert d'Aldo, et je l'ai ramenée à une station de métro. Pas question de la raccompagner, j'attends qu'elle soit bien à fond pour lui montrer que je la considère. Mais je l'aime tant ! J'ai envie d'être le bébé que je vais lui faire pour passer neuf mois dans son ventre. En venant tout seul sur ma moto où j'aurais tant aimé la percher, je pensais à elle, et je me disais que si j'étais le vent, je soufflerais dans ses cheveux. Je l'ai dans les globules.

D'ailleurs, quand elle entrera dans le bar, on fera comme si je venais d'arriver, d'accord ? Je garde mon casque. Je ne veux pas qu'elle pense que je l'ai attendue. Je lui ai raconté que tu déprimais et que je passais te faire un petit bonjour.

— C'est ouvert si tu veux te greffer, j'ai dit.

Elle a tout de suite été d'accord.

Si elle ne venait pas ? Pourquoi tu me demandes ça ?

Je lui laisse encore une heure. A dire vrai, quelque chose me travaille : je peux même te parier que son retard n'a rien à voir avec la distance à parcourir jusqu'ici. Hier, j'ai été nul. Je lui ai dit qu'elle était bien foutue. Rien de plus, je te le jure ! C'était plus fort que moi, elle avait mis une robe dos nu, jaune mimosa. Elle était à tomber de beauté, et je ne savais pas comment masquer mon émoi. Et là, le compliment est sorti tout seul. La seule chose à éviter. Et je l'ai fait ! Comme un bleu. Je suis nul. Je vais ramer maintenant pour la rattraper.

J'ai intérêt à rectifier le tir. Tout à l'heure, je lui dirai qu'elle a un peu grossi, ou qu'elle a un drôle de nez. Je la mettrai mal à l'aise. Après, je me tairai. Je serai ténébreux, muet, de dos. Je taperai du pied sur le sol, elle aura l'impression que je veux lui parler, que je vais le faire, mais non. Je laisserai flotter une ambiance tiède. Je dégagerai un truc fort, de cow-boy. Elle me trouvera viril, elle m'aimera.

D'ailleurs, quand elle arrivera ici, je partirai sur-le-champ. Je lui dirai que j'ai un rendez-vous et que je la rejoins plus tard. Tu finiras le pot seul avec elle. Comme ça, elle fera aussi le retour en train. Et on repartira immédiatement sur de bonnes bases.

Un grand appartement

Il marche dans l'appartement, il lui arrive de téléphoner ou de faire fonctionner la machine à café. De lâcher ses clefs. De se cogner dans un meuble. De pousser un râle ou de chanter une chanson. Il est bavard mais un homme muet, au fond, ne serait-il pas trop silencieux ? Il me parle, mais s'il ne me parlait pas, je serais certainement amenée à penser que je ne suis personne.

Quand on me demande de lui trouver un défaut, j'évoque sa sensibilité. Sa curiosité. Sa générosité. Son intelligence et son originalité. Son humour. Sa constance. Je ne lui trouve que des qualités. Nous nous sommes longtemps cherchés. Un défaut, lui ? Non. Le couple nous faisait peur, nous craignions la perte d'identité, mais nous avons trouvé sans l'aide de personne le mode d'emploi de cette communauté de vie. Ouverts à l'autre et à ses aspirations, nous veillons à ne jamais le contraindre.

Avec lui, je me sens une femme libre. Plusieurs fois par jour, je me replie donc sans gêne dans notre salle de bains, porte close. Dans la cabine de douche, les sons de notre grand appartement me parviennent étouffés. Je me tiens debout un moment, nue, mitigeur chromé dans la main. Je profite de la paix acoustique mais je guette. S'il entrait, je ferais aussitôt couler l'eau. Je ne veux pas qu'il sache pour ma cachette, ni pour mon problème avec son bruit. Je l'entends remuer dans le grand appartement, mais lorsque je me retrouve dans cet espace de douche, il devient un voisin, un étranger. Son bruit se fracasse contre les canalisations. Le mur carrelé agit entre nous comme un mur du son. Je regagne ensuite l'appartement comme si de rien n'était, reposée par mon passage en milieu sourd, muet.

J'aime cette douche transformée en abri. Je prends un plaisir renouvelé à fréquenter ma pièce de beauté, comme il la nomme, courtois complice de mon petit trafic. Mensonge ! Menteuse ! chante t-il du bureau d'à côté comme un air d'opéra quand je me douche encore une fois, prétextant avoir chaud. Trois douches aujourd'hui. Six hier ! Sa voix chérie gagne les tuyaux, elle devrait envahir la cabine mais elle est aussitôt absorbée par l'eau. Je me rassemble sous le jet chaud. J'envoie l'homme vivre hors de ces murs. Les tympans noyés, je reviens à moi. A moi, ça veut dire seule. Comme avant, quand il habitait un autre lieu. On se rendait visite, la journée ou le soir, rassurés après un temps ensemble de retourner chacun à son espace personnel.

Avec lui, nous nous sommes mis d'accord pour cette maxidouche ouverte. J'ai supprimé le rideau qui me collait à la peau. Nous orientons le pommeau vers le mur du fond, vers le mur du son, afin de ne pas inonder le reste de la pièce. Cela fonctionne parfaitement, dit-il. Mais j'ai une idée derrière la tête, idée que je lui soumettrai comme une surprise. Il l'accueillera avec humour. Je vais fixer une porte en verre securit à la douche. J'ai pris les mesures. Ainsi, quand il entrera dans la salle de bains pour se servir du lavabo alors que je me lave, il ne me regardera plus sous l'eau. Je n'aime pas l'idée qu'il me surprenne durant ma toilette. Quand il y aura cette porte en verre anticalcaire, antitraces, un mètre douze de large, deux mètres vingt-quatre de haut, du sur-mesure jusqu'au plafond, cette porte sécurisée comme celle des toilettes, avec une serrure gadget antirouille, je ne le verrai plus. J'entendrai seulement, comme maintenant, un peu plus loin, un peu moins fort, l'homme que j'aime se brosser les dents. Je gagnerai en tranquillité.

Il y a sept semaines, nous avons emménagé dans ce grand appartement. Au préalable, nous en avons visité peu, refusant toute surface inférieure à celle que nous jugions pouvoir nous contenir. Un salon, un bureau pour chacun, une chambre, et une pièce en trop à laquelle nous tenions, un impératif, avons-nous expliqué à l'agence, pièce à rien, pièce à tout, où nous n'arrivons à mêler ni notre bazar ni nos vêtements. Nous la partageons avec discrétion, poussant silencieusement la pile de l'autre contre un mur, la nôtre contre le mur opposé, conscients de gaspiller ainsi deux bons mètres au centre de la pièce, et espérant qu'un jour, bientôt, un maçon efficace élèvera entre nous une cloison sympathique. Espoir gardé secret afin de rester pour l'autre un être complice, épanoui par la vie à deux. A la vérité, nous envisageons de déménager dans un appartement plus grand où chacun disposera de son étage, avec libre droit d'accès à l'étage de l'autre. Le passage se fera par l'intérieur, grâce à un escalier ou une porte mitoyenne. Nous ne nous satisferions évidemment pas de deux logis indépendants.

Nous n'aspirons pas à une séparation, plaisantons-nous avec nos amis qui trouvent dommage, surtout à deux, seulement deux, de se retrouver embarrassés par deux cuisines.

En réponse à ces commentaires, nous évoquons mon indépendance, mon besoin de solitude, mais nous ne racontons jamais les jours où lui-même bute sur mes affaires, sur mon trajet. Me voir lui est pourtant parfois insupportable. Je ne fais rien de mal mais je suis là, j'existe, dans le coin, pas loin, j'existe dans son unité, parmi ses images, et j'apparais en trop. Alors il regarde au loin, puis à nouveau il pose les yeux sur moi, plus tard, beaucoup plus tard, quand, tapie sur le lit, je lis sans faire de bruit même en tournant les pages. Il revient à lui si, sans appétit, éteinte, je ne ronge plus rien du gruyère que nous nous partageons, chacun dans son trou.

Au fond de nous-mêmes, nous espérons une maison avec un terrain constructible où nous pourrons bâtir deux studios où nous replier quand la grande maison éclatera. Nous ne recevons jamais, nous serions capables de murer la chambre d'ami s'il y en avait une, tant l'idée d'héberger des étrangers nous débecte ; d'ailleurs, nous ne voulons pas d'enfant. Mais la grande maison pourrait quand même éclater. Nous nous y préparons. Pour nous supporter, il faut nous vacciner. Dans une grande lucidité et emplis d'un parfait amour, nous fabriquons l'un contre l'autre et en secret des anti-corps.

La promotion

J'ai choisi mon mari pour son côté passe-muraille. J'aspirais à une vie tranquille et j'aimais partager celle d'un homme lambda. Mais voilà qu'il a tapé dans l'œil de son patron. Il gravit les échelons. Et le fêter chaque fois qu'il rapporte une gratification à la maison me met à rude épreuve. Il y a tromperie sur ce qui était prévu au départ. Nous devions rester ce couple moyen. Deux bons camarades à qui la vie apportait successivement soleil et pluie, et qui prenaient les nuages avec philosophie.

Va pour les cacahuètes. Il essuie ses doigts gras sur sa langue, le fauteuil et la nappe. Lorsqu'il déjeune avec son chef, se tient-il un peu mieux qu'en tête à tête avec moi ? Allez, d'accord, champagne !

— Tout le monde m'a applaudi à la fin, répète-t-il. Il y en a même qui se sont levés. Au moins sept. Peut-être huit. Je voyais flou, c'est impressionnant une salle de conférence.

Son chef ne lui cèdera certainement pas sa place. Selon toute logique, son ascension s'achèvera bientôt. Si la cuisine de la cantine sert des huîtres ou de la soupe, on sera sauvés. Affaire classée. Le patron changera de convive à table. Je n'entendrai plus mon mari raconter ses exploits. Je n'aurais jamais cru que l'éventualité de sa réussite professionnelle le mette dans cet état. Ses histoires m'ennuient. Je connais à peine sa profession. C'est d'ailleurs le genre de profession sans intitulé. Si au moins il était docteur, notaire, avocat, pharmacien, il serait utile. J'aurais des repères. Quand mon mari ressent ma difficulté à l'encenser, il se plaint, il dit que s'il ne me parle pas, à moi, à qui ?

— Ta sœur ? lui ai-je suggéré tout à l'heure.

Je craquais. La bouche pleine, il pérorait. Je connaissais déjà par cœur l'histoire de son patron qui, le voyant chercher une table à la cantine, l'avait hélé pour l'inviter à la sienne.

— Je dois me taire ? m'a-t-il demandé brusquement.

Il ne lève plus son coude quand il boit. Un haricot blanc flotte dans son verre. Il l'avale. Il ne voit pas. Il ne voit que lui. Je ne suis pas fière. Et il a avalé un perroquet. Je le laisse raconter, je décoince un sourire mais je n'arrive pas à me réjouir. Franchement, son succès, à d'autres ! Ta mère ? Tu as pensé à appeler ta mère pour la main sur l'épaule dans l'ascenseur ? Fais-le vite.

Il me regarde d'une façon étrange.

Tes collègues font silence quand tu prends la parole ? Qu'est-ce que tu veux que ça me foute !

Je lui dis des méchancetés et je sens que je touche au triste. Je n'aime pas la peine dans ses yeux mais je la préfère là que dans mon cœur. Je déteste sa réussite. Elle nous sépare. Un homme qui réussit ne peut pas rester avec une femme comme moi. Je suis la femme de l'homme qui ne réussit pas. Je suis la numéro deux d'un numéro trois. Je n'ai pas le genre pour être la femme d'un numéro un. Je fais popote, mémère, à la limite, mais sûrement pas femme de. J'ai le physique de l'épouse normale, juste un peu en dessous, celle qu'on ne reluque pas, qu'on ne convoite pas, qu'on n'envie pas non plus. Je suis typiquement le genre d'épouse à qui on demande d'apporter le dessert quand on l'invite à dîner. Ou une salade de riz pour un pique-nique dominical. On se dit qu'elle n'a rien d'autre à faire, pire, que ça l'honorera qu'on la prenne pour un cordon-bleu.

Je suis l'épouse morne, avec son cabas et ses cheveux mal teints. Je suis le genre de femme qui n'a pas froid. Mon vieux ciré et le tour est joué. Je ne sens d'ailleurs pas trop la différence entre les saisons. Il faut être bien charnelle pour éprouver ces choses-là. Mes efforts de toilette sont invisibles. Je peux enfiler un gilet rose pâle parce qu'il me donne bonne mine mais au fond je suis lucide, un gilet rose pâle quand on est moche est beaucoup moins sensuel qu'une robe moulante quand on est belle.

Avant, les soirées étaient tranquilles. Mon petit mari me racontait des petites anecdotes. Nous commentions l'actualité, nous passions en revue notre programme du week-end. Il nous arrivait d'inviter des amis. Nous avions même décidé de participer à un jeu de rôles organisé chez les voisins. Nous affinions nos personnages. Nous cherchions des déguisements.

Depuis quelques jours, il s'enferme dans le bureau pour téléphoner. Je ne reconnais ni la voix agacée qu'il emploie avec sa mère ni celle, condescendante, qu'il réserve à sa sœur. Il y a donc une bonne âme qui l'écoute pérorer trois heures et reprendre en boucle les applaudissements, le sourire, l'ascenseur et le réfectoire. Mais qui donc ?
De la chambre jouxtant le bureau, j'essaye de mieux entendre. A part quelqu'un qui voudrait lui extorquer de l'argent, je ne vois pas qui s'intéresserait à son affaire de promotion. Or, la personne qu'il appelle régulièrement semble non seulement

l'écouter mais en plus le faire rire. Parfois, il rit vraiment à gorge déployée.

Je ne veux pas lui avouer que j'ai peur. Puisque je n'ai aucun mystère, autant garder pour moi mes noirceurs.

Piment

Quelquefois, ma femme tient à mettre du piquant. Elle invite une pute à la maison ou déboule à mon bureau, nue sous son manteau. L'œil glauque, elle pénètre, sans frapper, caméra au poing, pendant que je termine une conférence téléphonique :

— Branle-toi ! me susurre-t-elle.

C'est piteux.

La repousser me pose un problème de fond. Parler de sexe n'est pas tâche facile. Et dire à une femme que ses élucubrations sont déplacées risque de la bloquer. Or, ma femme et moi avons eu à traverser un passage à vide dans notre sexualité et je préfère ne pas la blesser en lui refusant quoi que ce soit, d'autant que ces mises en scène sont orchestrées dans le seul but de me combler. Comme elle me l'a souvent confié en période de crise, le cul n'est pas son dada. Emplie de culpabilité et sans doute d'amour, elle se vante de donner un petit coup de pouce à notre vie sexuelle.

Devant elle, je joue l'homme comblé, mais il faut la voir visiter un sex-shop et reluquer les godemichés comme des objets design dont elle rêverait pour le salon. Chaque fois que je lui propose d'en acheter un, elle me dit Ah ? Tu crois ? Où le mettrons-nous ? Elle s'empare finalement d'un petit martinet ridicule qu'elle essaye sur moi, avant de s'en servir pour dépoussiérer le tapis. Je laisse faire.

Au quotidien, elle met la gomme. Entre la poire et le fromage, elle soulève son chemisier, se recouvre le ventre d'un reste de sauce au vin, et me dit Bois !

J'ai parfois du mal à garder mon sérieux.

— Fais un effort gros porc, lèche même si je te dégoûte ! supplie-t-elle.

Elle agit à contrecœur et tout vire toujours au comique troupier. Quand la call-girl qu'elle a commandée arrive chez nous, elle lui ouvre la porte comme à une cousine de province et lui raconte toutes sortes de sornettes en articulant. Puis elle la prévient d'un ton péremptoire qu'elle ne doit pas m'embrasser sur la bouche. Ensuite, elle la colle sous la douche et vient me retrouver dans la chambre. Elle s'assoit sur le bord du lit, le dos bien droit. Et quand je commence à la chauffer, elle refuse, elle dit qu'il faut attendre la fille pour débuter.

— Sinon, c'est pas poli !

J'essaye encore, je la bascule sur le matelas, je la déshabille, mais elle s'énerve.

— Tu n'as donc qu'un malheureux zizi dans le ciboulot ? Que va-t-elle penser de nous ?

Après, ennuyée de s'être fâchée juste avant l'amour, elle me prend la main.

— Sois patient, je l'entends qui arrive.

Elle les choisit sur photo. Elle en prend une qui la dégoûtera le moins possible. Pas trop chienne, dit-elle. Ni trop belle. Pas trop bien foutue non plus, sinon tu me trouveras grosse, après. Plutôt gentille. Et surtout, l'air cultivée. La dernière avait une petite moustache.

Ma femme a appris toutes sortes de phrases pour déclencher l'assaut.

— Vas-y, fais-la tienne ! Prends-la comme ta mère ! Eclatez-vous les amis ! déclame-t-elle.

La séance est donc ouverte.

La pute commence par s'occuper d'elle mais ma femme peine à onduler du bassin. Je ferme les yeux. Elle me croit excité, alors elle met le son. Râlant, gémissant, elle envoie fissa la fille vers moi. Soulagée d'avoir pu s'en défaire et désœuvrée sur un coin du matelas, il arrive à ma femme de taper dans les mains pour nous encourager. A-llez ! a-llez !

a-llez ! scande-t-elle à quatre pattes, soucieuse de me faire croire qu'elle participe à l'aventure. La pute revient vers elle pour l'attirer vers nous. Mais ma femme minaude Non ! non ! non ! vous ne m'attraperez pas comme ça ! Et elle papillonne à cloche-pied autour du lit. Je baise la fille. Dès que notre attention se détourne de ma femme, celle-ci se rapproche de nous. Une pichenette mal placée me fait momentanément débander. La fille gémit pour me relancer. Et j'entends parfois ma femme lâcher tout bas sa petite fureur. *Oui, bon, allez les bestiaux, ça vient ou ça vient pas ? on va pas y passer la nuit !*

Elle m'empêche de jouir dans la pute et me récupère pour la fin, râlant comme une chienne alors qu'elle est toute sèche.

La pute s'en va.

Mais ma femme reste et me caresse le torse, elle tortille mes poils du bout de son index, elle trouve leur frisure rigolote. Après cet aveu, elle se contrôle. Elle se rappelle que jusqu'à nouvel ordre, deux choses nous lient : le sexe et la conversation. Alors elle marie les deux :

— Le triolisme est vraiment très détendant. On ne le pratique pas assez souvent et c'est navrant.

L'engagement

Elle voyait des sosies partout. A l'écouter, Marlon Brando nous avait ouvert la porte. Il y avait aussi Jésus et Mad Max. Pompette, elle était charmante. Elle a pris une blonde pour Marilyn Monroe. Le défilé a continué, elle a reconnu Johnny Depp avec des béquilles et Barack Obama avec des dreadlocks. Nous avons passé une excellente soirée. Nous ne nous sommes pas quittés. Elle n'a cessé de me dire qu'avec moi, la vie normale prenait une certaine allure. Je lui ai fait découvrir le whisky *sour*, puis le gin *sour*, mais sa préférence est allée à la vodka *sour*. J'ai aimé lui parler. Alcool ou pas, je n'aurais pas eu besoin de beaucoup insister pour qu'elle soit auprès de moi ce matin.

Elle s'appelle Carole, un prénom qui n'augure pas le pire. Carole n'est pas un prénom à embrouilles. Carole aime la vie et elle ne fait pas de rond sur ses *i* quand elle note son numéro de téléphone. Je sais qu'il n'y a pas de *i* dans Carole, mais j'ai déjà vu des femmes faire des ronds sur leurs 9 pour ne pas les confondre avec des 6, alors je suis très méfiant. Elle n'écrit ni à l'encre turquoise ni à l'encre mauve, et aucune breloque cœur, souris ou chat, ne pend à ses clefs. Si sa vie professionnelle lui donne parfois des soucis, elle n'en arbore pas les stigmates sur des ongles rongés. Ses mains sont exemplaires. Sa peau est soignée. Elle porte des chaussures ouvertes mais ses pieds ne sont pas des repoussoirs. Elle ne sent ni le parfum ni le tabac. Elle a des cheveux sains, chouettes, longs et fluides. Ni des baguettes ni des rouleaux. Je dirais qu'elle ressemble à une merveille. Loin d'être un canon éphémère, elle possède toutes les qualités de la beauté parfaite, discrète, celle dont on devine encore à cent ans, qu'elle a été.

J'ai aimé la regarder, j'ai aimé la connaître. J'ai appris de jolies choses sur la vie des requins, la menuiserie, le luth et les ampoules basse consommation. Nous ne nous sommes pas fait une cour de paons. Nous avons seulement évoqué, comme deux adultes consentants, la possibilité de nous revoir. Mais je suis parti tout à coup. Je n'ai pas pu lui dire au revoir. Je ne voulais pas entrer dans la gêne, dans la suite. Je souhaitais que cette première soirée ne s'achève pas.

Elle serait là, endormie, ou déjà réveillée peut-être. Elle lirait dans la cuisine. Sans bruit, elle serait descendue chercher le pain, elle aurait fait couler le café. Elle se serait débrouillée pour s'acheter une brosse à dents, à cils, et me faire croire qu'au réveil, sans rien toucher, elle a une langue à la chlorophylle et les yeux de Bambi. Elle serait souriante, tendre et mal à l'aise à la fois, un peu distante peut-être après cette nuit d'amour.

Mais je dois me méfier. Je m'emballe ! Si ça se trouve, elle ferait un boucan du tonnerre, exprès pour me réveiller. Elle ne supporterait pas que je dorme tard ! Elle analyserait le contenu du réfrigérateur, elle vérifierait que je n'aie personne d'autre. Si elle trouvait deux peignoirs dans la salle de bains, je serais bon pour l'interrogatoire. Et allez expliquer à une jalouse que l'un me sert à me sécher et l'autre à me couvrir quand j'ai froid. Elle fouillerait mes poches, mon linge, mes tiroirs. Elle serait fourbe. Elle me dirait que les céréales, contrairement à la publicité qui en est faite, sont catastrophiques pour la ligne. Et que le fromage de brebis, tu parles, grand bien te fasse !

— Maintenant que tu as couché avec moi, tu dois me rappeler, ajouterait-elle en partant.

Si toutefois j'arrive à la mettre dehors.

J'ai bien fait de rentrer seul. J'ai regardé un film dont je ne me souviens pas, et je me suis endormi tranquillement. Dans ma main, j'ai le petit papier plié qu'elle m'a glissé, celui qui n'est écrit ni à l'encre mauve ni à l'encre turquoise. Elle sentait le miel, le sucre chaud. Je verrai. Plus tard. D'ailleurs, à un moment, je me souviens très bien qu'elle a fait une faute de français. Elle s'est reprise, mais hélas, je ne suis pas à l'abri d'un Quelle heure qu'il est? et je ne le supporterai pas. Ce n'est pas la peine. Quand je rencontre une fille, je garde toujours la main sur la poignée de la porte.

« Tu es le sosie de l'homme de mes rêves », a-t-elle écrit en pattes de mouche sur cet haïku. Mais je vais faire comme si je n'avais rien lu. C'est tarte. Et ce matin, j'aime toujours l'idée d'être libre. A midi, je laisserai sans doute monter le vide, je souffrirai d'une certaine solitude. Je reviendrai peut-être sur mon bien-être de célibataire. Après, je l'appellerai. Et ce soir, je serai pris. J'ai dit Peut-être! Par Carole, le sosie de la femme de ma vie. Un sosie, pour commencer, n'engage à rien, c'est ça qui peut être bien.

Son ex-femme

Son ex-femme va emmener les enfants quatre semaines en vacances. Il lui a loué une villa sur la côte espagnole, assez grande pour qu'elle puisse inviter tous leurs amis d'avant. Ensuite, elle partira deux semaines seule, pendant que nous garderons les petits. Son ex-mari craint que leur absence durant l'été ne la déprime. Elle les aime tant que si on les lui retirait à Noël, elle nous a prévenus qu'elle se flinguerait. Pour pallier le manque, son ex-mari lui a concocté un programme de rêve avec un circuit gastronomique dans le Sud-Ouest puis une thalassothérapie dans un hôtel trois étoiles. Elle en a demandé une quatrième. Il se sent voleur d'enfants et, afin de moins culpabiliser de les avoir avec lui, il s'arrange toujours pour occuper son ex-femme. L'an passé, il l'a envoyée à Prague mais elle est rentrée fâchée de ne pas s'être baignée. Il pense lui acheter bientôt une petite maison en bord de mer, il réglera ainsi le problème des étoiles. Elle n'aime plus la bicoque qu'ils avaient choisie ensemble et qu'il lui a laissée. Avec ses volets jaunes et sa prairie verdoyante, elle lui rappelle leur bonheur passé.

Il a pris l'habitude de la gâter afin d'adoucir son célibat. Il l'entretient, préférant lui donner de l'argent plutôt que de la contraindre à se remettre à travailler à son âge, surtout avec le risque d'obtenir un poste ne correspondant pas à son niveau d'études. Il trouve que si lui-même était un jour dans la dèche, il serait chic que je me charge de l'aider à mon tour.

Il a égayé ses week-ends de solitude grâce à l'achat d'un home cinéma. Il lui offre les dvd qu'il obtient par son travail avant même que nous les ayons regardés. Elle ne nous les rend pas. Elle les donne aux enfants, ils les cassent pour en faire des armes coupantes. Quand son ex-mari veut prendre ses enfants le mardi soir, il a recours à une soirée théâtre pour elle et une de ses amies fauchées dont il paye la moitié de la place, afin que son ex-femme ne sorte pas toute seule. Il dîne chez elle le mercredi soir en ramenant les enfants, parce qu'il est important de constamment les rassurer en leur montrant que leurs parents ne sont pas des ennemis. D'ailleurs, j'ai appris par les enfants que, pour lui dire bonjour, son ex-mari l'embrassait sur la bouche, n'ayant su quitter ses lèvres pour sa joue sans la vexer, et préférant, depuis le divorce, s'évi-

ter des pleurs inutiles. Il rentre couvert de grif-
fures, il me dit que c'est le chat. Je le crois.

La présence de son ex-femme est bien plus
lourde à subir qu'auparavant. Lorsqu'ils étaient
ensemble, j'étais une maîtresse joyeuse, un peu
frustrée pour la forme, mais au fond très satis-
faite. Aujourd'hui, quand je vois son ex-mari prier
le ciel, noué à l'idée que la surprise qu'il réserve à
son ex-femme ne la contrarie, je me demande où
est passé le vaillant guerrier qui a pris la décision
de rompre en à peine huit semaines pour vivre
avec moi.

Récemment, j'ai eu l'idée du club de sport. Nous
défouler ensemble après le travail nous ferait du
bien. Avant sa séparation, son ex-mari adorait faire
de l'exercice. Il se plaignait du travers lymphatique
de son ex-femme et disait qu'avec moi, au moins,
il ne s'encroûtait pas. Nous allions courir dans la
forêt. Parfois, nous empruntions un aviron jusqu'à
l'îlot du lac et nous nous étirions contre les arbres
avec la sensation aérienne que des feuilles nous
poussaient dans les cheveux. Le sport nous rendait légers. Son ex-mari n'aurait raté une de nos
séances de jogging pour rien au monde. Un club
de sport ? Génial ! Son ex-mari a aussitôt inscrit
son ex-femme au centre sportif. Elle pourrait y
rencontrer quelqu'un !

— C'était pour nous, pas pour elle ! lui ai-je
expliqué.

— Nous ? m'a-t-il dit, mais tu crois vraiment que j'ai la tête à faire du sport ?

Dès que son ex-femme entreprend une nouvelle activité, elle s'acharne. Un cours hebdomadaire d'aérobic ne lui suffisant pas, elle a réclamé un pass illimité. Mais dès qu'elle a tout, elle ne veut plus rien. Elle n'y va donc jamais. Elle grossit. Elle menace de se remettre à fumer pour maigrir. Il promet de lui payer dès qu'il pourra une liposuccion du ventre pour la motiver dans son régime. Parfois, le soir, quand je m'approche de lui pour l'embrasser, quand j'œuvre à rétablir un peu d'intimité entre deux appels affolés de son ex-femme, parce que les verbes irréguliers du grand ne rentrent pas, parce que la molaire de la petite bouge, il me dit : quand je pense à la fumée qui pourrait un jour ronger ses poumons, je broie du noir.

Suite à la rhinoplastie de son ex-femme, nous avons emménagé dans un plus petit appartement et nous dormons au salon quand les enfants nous rendent visite. En leur présence, mon quotidien n'est pas gai mais je me dis qu'à force de sourires et de douceur, un jour, ces enfants accepteront de m'appeler enfin par mon prénom. Ils ne m'appellent pas, mais son ex-mari dit que c'est mieux ainsi. Son ex-femme souffre d'entendre mon prénom donc moins ils le prononcent, moins ils le retiennent ; alors ils ne s'adressent jamais direc-

tement à moi, ils passent par leur père, ils disent
Demande à la bonne de nous lire une histoire, ou
Dis à Bonniche de nous faire un gâteau. Parfois, ça
leur vaut une volée. Quand même. Mais après, son
ex-mari regrette de les avoir maltraités et il leur
demande pardon avec tant de contrition que j'ai
l'impression d'avoir été complice d'une mauvaise
action. Alors je leur fais un chausson aux pommes
ou une charlotte aux fraises. Ils disent Merci Personne mais on n'aime pas tes gâteaux.

Son ex-femme nous a laissé les deux dernières
semaines des vacances, celles qui sentent vraiment
la fin de saison. Nous emmenons les enfants cam-
per. Nous n'avons pas assez d'argent pour finir le
mois à l'hôtel. L'expérience du camping risque de
pulvériser notre couple. Son ex-mari est maniaque,
ce genre de vacances le répugne. Quand il était
encore avec elle et m'emmenait en secret, nous
visitions des endroits magnifiques. Ils relevaient
tous les noms des lieux où nous ne nous arrêtions
pas, mais dont il disait que, tantôt, ils abriteraient
notre amour au grand jour.

Au camping, le soir au coin du feu, si toutefois
nous parvenons à en allumer la moitié d'un, nos
conversations de veillée ne porteront que sur son
angoisse pour son ex-femme esseulée et son soulagement de savoir leurs enfants bientôt adolescents.
Il conclura sur sa ferme résolution de ne jamais en
refaire.

J'avais pourtant insisté quand il parlait de prendre une voiture, j'avais suggéré quatre places à l'arrière. J'imaginais mes deux petits bambins calés entre les deux siens. A force d'entendre les miens dire maman, les deux siens essaieraient à leur tour un mot gentil. Et nous deviendrions une sorte de famille.

Pour la nouvelle voiture, son ex-mari a réfléchi. Il préfère l'offrir à son ex-femme et lui demander de nous la prêter de temps en temps. Il est sûr qu'elle acceptera. Surtout quand on aura les enfants. Elle est sympa, tu sais, me dit-il. Et puis au moins, elle a un parking. Et quand on n'a pas les enfants, à quoi bon rouler ? L'essence est chère. Et selon son ex-femme, qui a jadis été une économiste renommée, elle ne va faire qu'augmenter.

Aveuglement

Il fait l'aveugle. S'il se résout enfin à considérer notre histoire, sa vie changera. Il le sait, mais il refuse d'ouvrir les yeux. Il m'a choisie pour canne blanche et notre petit jeu est rodé. L'amour n'est pas exclusivement un assaut pornographique. Je ne vois pas pourquoi il faudrait coucher ensemble pour être ensemble. Nous sommes là l'un pour l'autre. Il se dégage déjà tellement d'érotisme de nos silences que davantage serait beaucoup trop.

J'ai emménagé juste à côté de chez lui. C'est une bonne première étape pour un couple. Vivre ensemble viendra plus tard. Il faut laisser aux choses le temps de se faire. On ne nettoie pas le passé d'un homme d'un revers de manche. Je lui ai déclaré ma flamme, mais à présent qu'il m'a entendue, je ne bronche plus. Je suis auprès de lui, et il parcourra naturellement son bout de chemin vers moi.

Nous avons travaillé ensemble puis il a changé de service. Je pense que ma présence à l'étage lui était à la fois indispensable et très pénible.

— Je quitte l'étage, m'a-t-il dit, mais reste ici, ne démissionne surtout pas ! On ne cherche personne d'autre là où j'émigre !

Il m'a tout bonnement laissé sa place. Je lui dois ma promotion puisqu'à son départ, on m'a nommée à son poste et je m'en sentirai redevable toute ma vie. Son geste a été d'une classe folle. Il m'adresse ainsi mille attentions sans le préciser forcément. Tout n'a pas besoin d'être expliqué dans un couple. Heureusement ! Puisque nous parlons la même langue, nous jouons à nous comprendre à demi-mot.

Lors de son pot de départ, il s'est dit heureux d'aller prendre l'air, mon harcèlement étant devenu intolérable. Mais je ne serai pas bien loin, a-t-il murmuré, ému. Il s'adressait à moi. On me l'a répété. Qu'importe les vacheries qu'il ait pu dire aux autres ! C'est toujours ce qui se passe quand on s'apprête à sortir du déni : on cogne sur celui qui vous ouvre les yeux.

Dans l'ascenseur de notre immeuble, quand on s'est croisés pour la première fois, la rencontre a été percutante. J'avais préparé mon excuse de longue date.

— Je rends visite à une amie.

— Pile là où je vis ? a-t-il braillé.

— C'est un hasard ! Un pur hasard ! Qu'as-tu donc contre moi à la fin ?

Il s'est calmé, il a cru en ma bonne foi et m'a même proposé, en repartant, de venir boire un café chez lui pour assainir la situation. J'ai attendu dans l'escalier en tremblant puis je suis passée chez moi me refaire une beauté. J'ai mis en route un disque de rengaines. De son appartement, je me disais qu'on l'entendrait en buvant notre café.

Ce moment ensemble a été une réussite, et romantique au-delà de mes espérances. Quand je suis arrivée, il m'a ouvert la porte et il a dit : Ah ! C'est toi, je t'avais complètement oubliée. Il avait l'œil rieur, son adorable œil gamin. Il guettait ma réaction. J'ai éclaté de rire. Lui aussi. Il avait enfin compris que j'habitais là. Tout était assaini.

Il m'a offert un carton contenant les livres que je lui avais déposés dans son casier, un par jour depuis son départ du service, c'est-à-dire environ soixante ouvrages, évoquant l'amour, ses tenants, ses aboutissants. Au-dessus de la pile, il avait posé « Je t'aime, pourquoi pas toi ? », un guide très bien fichu sur la réciprocité des sentiments. Il m'a demandé si j'allais mieux. Il se doutait bien de la réponse mais il adore l'entendre.

— Je vais mieux quand je te vois.

Il a ricané.

Je connais son ricanement par cœur. Il survient aussi chaque fois que je prononce son prénom. Et si je le répète plusieurs fois, il chasse l'air avec sa main comme si une mouche lui agaçait l'œil. Notre histoire lui pend au nez, il sait qu'elle est incontournable. Même sa collaboratrice s'est permis de me demander si je n'étais pas un peu amoureuse de lui. Comme quoi, ça plane, ça rôde dans le coin.

Il se souvenait de mes habitudes avec le café. Ne me proposant donc ni sucre ni cuiller, il m'a dit être sensible au fait que je ne lui téléphone plus. Il avait une autre demande à me faire. J'ai tressailli ! Il souhaitait à présent que j'arrête de lui offrir des livres.

— Je n'aime pas lire, m'a-t-il confié. Et les sujets que tu choisis ne m'intéressent pas du tout.

Enfin, il s'ouvrait. Il s'apprêtait à me raconter ses goûts, ses hobbies. J'avais bien sûr enquêté, mais je rêvais d'en savoir davantage sur lui. On est toujours emprunté pour dire à l'autre qu'on aurait un penchant pour tel ou tel cadeau. On croit mal faire, on craint de le blesser, mais je l'ai mis à l'aise. Je lui ai demandé si, à l'avenir, il préférerait des objets décoratifs, de l'alimentaire, un voyage. Ou peut-être des cravates ?

Mais nous avons été interrompus. La porte s'est ouverte et une jeune femme est entrée. Isabelle je crois, ou Cécile, je ne sais plus exactement. Elle m'a embrassée, elle s'est fait couler un café et s'est jointe à nous très naturellement. Elle lui a pris la main tendrement. C'est sa sœur, je pense.

Et si me présenter sa sœur n'est pas le signe d'un mieux, d'une ouverture, et bientôt d'une histoire, qu'est-ce donc ?

Brûlure

Mon mari a donné notre numéro de téléphone à madame Geille, au cas où ses démangeaisons la reprennent. Des cèpes! J'ai des cèpes entre les cuisses! gémit la suppliciée pour que je lui passe mon gynécologue de mari. Gonflé comme un pis de vache, plus cartonné que du papier de verre, ça me gratte, ça me lance entre les cuisses, dans les ovaires et jusqu'au trou du.

C'est agréable. Avec moi, les femmes se croient vraiment tout permis.

J'ai des pertes marron foncé, reprend-elle, entre marron glacé et marron d'Inde; hier, elles étaient plus claires, beige orangé, exactement la teinte des cuirs de cet hiver chez Hermès, mais je n'ai pas voulu déranger le docteur à son cabinet. Je pensais que ça passerait!

Je râle en cédant le combiné. Mon mari me fait les gros yeux, mais j'ai quand même mon mot à dire. J'ai passé mon voyage de noces avec la bartholinite de mademoiselle Venelle, mes trente ans dans l'ovulation de madame Anquetil, mes quarante avec le lichen scléro-atrophique de madame Fath, mes noces de porcelaine avec le curetage de Sandrine Paulan et le kraurosis vulvae de la petite Diomé. J'exige la paix !

La semaine dernière, au moment où le concerto pour violon et orchestre débutait, c'était les sœurs Perrin et leurs fissures du vestibule, les deux mêmes fissures, au même endroit, à se demander ce qu'elles trafiquent, et le dimanche précédent, la cystite de Philippine Dufour s'est invitée à notre soirée barbecue. Philippine Dufour me parle au téléphone comme si elle travaillait pour le KGB. Mon mari tient à ce que les femmes me confient d'abord leurs tracas, puis il mesure l'urgence. Selon les cas, soit je me charge de rappeler la patiente et de délivrer l'ordonnance de mon mari, soit il la rappelle lui-même. Philippine Dufour, la spécialiste de la cystite dominicale, ne veut parler qu'à monsieur mon mari, et, d'une voix blanche, elle me prie de le lui passer. Mais moi, je m'amuse… Ça vous brûle ? Ça vous pique ? Ça gratte ? Quand vous urinez, ça vous lance ?

— Je préférerais m'entretenir de tout cela avec votre mari, me répond-elle.

Qu'est-ce qu'elle croit? Le dimanche soir, aucune touffe n'est un secret d'Etat. Nous sirotons notre apéritif dans le jardin, le docteur va bientôt allumer le barbecue, et les chattes brûlantes s'invitent à notre table. On ne les a pas conviées! Philippine Dufour met dix minutes à avouer qu'en plus, elle sent le poisson! Poisson égale cystite, est-ce si compliqué! Quant aux hémorroïdes de mademoiselle Sinus qui n'a toujours pas compris que mon gynécologue de mari ne pouvait rien pour elle, je lui souhaite de trouver un autre sujet de conversation, parce qu'à la maison, on la surnomme Mamzelle Trou d'balle! Elle n'a que son problème à la bouche. Idem pour Marie-Christine Mora et son ténia. On ne fait pas les intestins! En quelle langue faut-il le leur dire? L'herpès de Sylvie de Dongeois du Tilly qui nous a accompagnés en Lombardie cet été n'est pas noble du tout. Je lui déconseille fortement de se reproduire. Mon mari me dit de baisser d'un ton mais franchement, avec des poussées mensuelles comme elle a, elle ferait mieux de s'abstenir. Elle a de l'herpès comme on a ses règles. Sa seule hantise est de l'attraper sur le visage. Mon mari lui explique patiemment que son herpès ne sautera pas là-haut mais elle repose la question plusieurs fois, et à chaque nouvelle poussée, elle entame le même rituel. Il doit lui dire « Promis » pour qu'elle raccroche enfin et nous laisse bouffer nos chipolatas.

Les mois d'été, c'est chlamydies généralisées. Les Belais, mère, filles et petite-fille partagent nos bains de mer. Les unes après les autres, elles nous détaillent par le menu l'épaisseur de leurs glaires. En hiver, on a un maximum de coupures. Les hommes laissent pousser leurs ongles comme des bestiaux quand il fait froid. Du coup, il nous tombe dessus quelques abcès du clitoris, si possible pendant la décoration de l'arbre de Noël. Au moment où l'on s'apprête à s'offrir une bonne sieste, il n'est pas rare qu'un champignon à filament pousse au milieu de notre lit.

Ce soir, je me suis quand même divertie grâce à l'appel alarmé de la verge de monsieur Lesourd qui s'enflamme puis pèle quand il a des rapports. Il voulait nous envoyer la photo de son gland par fax. Que cherche-t-il ? A illustrer notre prochaine carte de vœux ? Madame Lesourd se plaint de perdre de l'eau qui n'est pas de l'urine, et quand mon mari diagnostique une infection, elle se défend comme s'il l'avait injuriée. Alors, patiemment, il reprend son explication. L'inflammation ressentie par madame Lesourd provient d'une infection qu'elle héberge et passe à monsieur Lesourd chaque fois qu'ils ont un rapport, et vice versa. Il va donc falloir cesser les rapports pendant sept jours complets et suivre un traitement oral et local à la fois. Et là… C'est la panique ! On dirait vraiment qu'on leur coupe les vivres ! Si vous les entendiez, ces couples, vous hurler que l'abstinence est une torture. On croule sous les questions : et les fellations sont-elles autorisées ? On peut s'enculer ?

Balivernes ! On ne dénonce pas assez ces bonnes femmes qui, à longueur d'années, demandent à mon mari des pilules pour mouiller ! Enfin, on leur signe un blanc-seing pour s'abstenir quelques jours, et ça ne va encore pas ! Est-ce que nous, on baise ? Non ! Quand on les a soignées, on a envie de vomir. Mon mari est trop gentil. Professionnel ? Oui, je sais. Mais la hotline est gratuite et elle nous a coûté notre couple.

J'ai passé toute ma vie entre les lèvres de Christine Gérondi et la vulve de madame Antoine. Quelquefois, je me dis que si j'avais épousé un dentiste, nos dîners en tête à tête auraient eu une autre allure. On aurait parlé fraise, rage, or, ivoire. Et argent. On aurait été romantiques.

Les souvenirs

Chaque été, nous voyageons en France avec notre caravane. Nous quittons l'Angleterre par le ferry, puis nous roulons deux jours avant d'établir notre campement dans un champ de cerisiers en Provence. Chaque été, nous avons rendez-vous avec les souvenirs de Philip. Nous les trempons dans l'huile d'olive mais avec ou sans ail, ils restent aussi fades.

Je ne suis pas veillée, comme Philip, par le fantôme d'une jeunesse heureuse. Mon père était violent et ma mère, soumise, n'arrivait à relever la tête qu'exceptionnellement, souvent pour faire de l'œil à mes premiers fiancés. Nous déménagions, nous avons même changé de pays, sans nous fixer assez longtemps pour y tisser des liens. En quittant mes parents, je les ai complètement oubliés, les revoyant de loin en loin, sans jamais ressentir auprès d'eux ni exaltation ni apaisement. Aujourd'hui, ils sont morts, et rien ne me les rappelle, sauf parfois, le visage trop adulte d'un enfant encore jeune. Je ne me suis jamais sentie petite fille. J'ai grandi rapidement dans le seul but de leur échapper, me répétant tout bas qu'un jour, je partirais. Je n'ai pas de racines, aucun endroit où déterrer le souvenir d'autre chose que celui de ma vie avec Philip depuis trente-cinq années. Ma mémoire remonte à notre rencontre et je n'aime pas cette idée, même si je sais qu'il est le seul à m'avoir aimée. Philip était là tout le temps. A chaque fois que j'ai ri, à chaque fois que j'ai pleuré. Avant lui, il n'y a rien eu. Je n'ai pas d'anecdote, à raconter, le soir, quand il évoque sa joie de revenir ici, dans son champ de cerisiers, après autant d'années. J'aurais aimé une vie magique. J'aurais aimé une maison plus grande, j'aurais voulu faire des voyages, des croisières, porter de belles robes, des parfums différents. J'aurais surtout apprécié qu'on me remarque, qu'on me connaisse. Ah ! si j'avais été actrice, me dis-je parfois pour mettre des bornes à mes regrets. Enfin, j'aurais brillé, petite étoile dans le ciel d'inconnus.

Assise à guetter le soir devant ma roulotte, je m'imagine, divine, sur le tournage d'un film. Premier rôle, je m'évente en attendant mon partenaire. L'histoire est simple. Nous traversons une crise conjugale liée à l'ennui. Il faudrait que la houle passe dans mon regard, suggère le réalisateur qui est aussi mon amant. Je le traite comme un chien, évidemment, lui et les autres, car tout le monde me veut. Actrice vedette, on me laisse me concentrer dans mon coin. J'imagine que le tapis de sol dont Philip et moi recouvrons la terre afin de ne pas nous salir les pieds est un tapis de yoga. Je médite. Je prends le papier tue-mouche pour un rouleau de négatifs, le répulsif électrique pour un micro, et le tour est joué. Avec ma tapette à moustiques, je m'évente comme avec un éventail de soie. Sous mon crâne, il y a des lumières, une belle musique et des applaudissements. Philip rompt le silence. Il est le second rôle ! Le voilà, un verre à la main, qui me demande si j'en veux un aussi. Il prend place sur le siège à côté de moi. On ne s'assoit plus face à face, on préfère avoir quelque chose à regarder. Il me sort de mon film. Ses répliques sont pauvres.

— Souvent, je fumais des cigarettes en cachette et la mère de mon correspondant se demandait tout haut d'où l'odeur sortait. Elle était si gentille qu'elle n'osait pas me réprimander. Un jour, le vieux chien est tombé malade, il a tourné une journée autour de l'arbre puis il est mort. Quand les mûres étaient mûres, on les cueillait.

A l'écran, passe un film terriblement ennuyeux. Philip et moi, renversés en arrière sur nos transats en tissu bayadère. Au premier plan, nos vieux pieds desséchés par la terre des souvenirs. A l'arrière, la façade de la caravane et un cyprès dans l'angle.

Philip me parle des amis qui l'accueillaient, des aubergines de la mère de son correspondant français, de ses soufflés, de ses beignets. Et les cigales, impassibles, année après année, reviennent en fond sonore nous chanter la même chanson. Générique.

Philip m'énerve et je m'ennuie. Je voudrais moi aussi l'abreuver de souvenirs dont il se moquerait complètement, puisqu'ils ne seraient pas les siens. Il en supporterait un ou deux, puis il penserait à autre chose. Je lui raconterais mon passé, mon histoire d'amour avec un acteur talentueux, le tournage d'une série sur les sous-marins, ma difficulté à plonger, à tourner des manivelles. Il n'écouterait pas mais il poserait tout de même une question :

— Qu'est-ce qu'on mange ce soir ?

Un souvenir en passant, je supporte. Mais les mêmes, chaque année, et depuis trente-cinq ans, ça n'est pas facile à vivre. Des photos à l'appui, et des rires appuyés, et moi qui m'esclaffe Ah ! ah ! ah !, avec un ton qui sent le fromage, mais lui, non, il n'en est qu'à l'apéritif. Les souvenirs, durant ce mois d'été, remonteront jour après jour et lui mettront l'œil embué.

Quoi qu'il fasse, il est ailleurs. Je voudrais avoir une terre, des racines, une histoire, et pouvoir l'ennuyer autant qu'il m'indispose. Parfois, je suis

obligée de lui demander de résoudre une opération mathématique. Pendant qu'il compte, je
le retrouve, alerte, présent. L'autre fois, je lui ai
acheté un livre d'énigmes. J'ai pensé que, concen-
tré sur les questions, il se détournerait un moment
du passé, mais en me remerciant de le lui offrir, il
m'a dit qu'il le gardait pour notre retour parce que
là, il se sentait bien, complètement plongé dans ses
souvenirs.

Maintenant qu'on est retraités, on vit ensemble
tout le temps. Avant, il rapatriait des voitures de
France vers l'Angleterre. Pendant deux ou trois
jours, j'avais le temps d'espérer qu'il me manque.
Et quand il revenait à pied du garage, je le voyais
arriver de loin et je me rendais compte que je l'attendais toujours à la fenêtre. Je retombais amoureuse.
Après, je m'affairais sur les carreaux pour ne pas
lui montrer que j'attendais. Quand il passait la
porte et me disait Qu'est-ce qu'on mange ? j'avais
envie de partir mais quelque chose en moi vibrait
fort. Il était là.

Je n'ai pas de souvenir en dehors de notre vie
commune et monotone. Elle passe et je n'arrive
pas à savoir si elle a lieu ou pas. Une mémoire
peut-elle contenir une seule photographie ? Dans
ce cas, si c'est possible, elle fut prise avec Philip
mais j'y tiens un grand rôle. Philip travaillait sur
un chantier, en Arabie, et nous avions été séparés
de longs mois. Quand je suis allée le retrouver, il

m'attendait à l'aéroport. Il m'a vue et il a crié mon nom, il a ouvert ses bras, il a couru vers moi, et il m'a fait tourner, comme une enfant, une amante, et une actrice de cinéma. Une minute, j'ai quand même été grâce à lui et une fois dans ma vie, les trois à la fois.

Humiliation

Tu mets du symbole dans tout ! Ce n'est pas parce que tu plais aux hommes qu'il faut prendre ton cas pour une généralité. Il m'a peut-être invitée à dîner mais il m'a aussi proposé un café. Juste un café. Et il le fait par pure obligation vis-à-vis de toi. N'oublie pas que l'autre soir, je l'ai ramené chez lui ! Il est bien élevé. Si ça se trouve, il croit appeler quelqu'un d'autre quand il me laisse des messages. Nous étions nombreuses à ta soirée, et des comme moi, il y en avait à tous les coins de bar.

Pendant ta soirée, plus il s'approchait de moi, plus ils ricanaient, lui et son copain. J'avais mal camouflé mon nez et ils en faisaient des gorges chaudes. Quand il s'est assis à côté de moi, il a essayé d'être sérieux mais un homme qui se fiche de toi, ça se voit. Et son copain tournait sans cesse derrière nous, à tel point que j'ai cru que mon pull était troué dans le dos. Tu te rappelles, j'avais mis mon pull en angora. Il faut que j'arrête de le porter, il y a quelque chose qui cloche avec lui. On m'a déjà dit qu'il était sexy.

Après, il a insisté pour que je l'accompagne à une autre soirée. Il n'avait pas de voiture, tu penses, j'étais évidemment la bonne personne, le chauffeur de service en quelque sorte. Il aurait été motorisé, il ne m'aurait même pas adressé la parole. Quand il m'a posé des questions sur ma vie, mon métier, il avait déjà en tête la fin de soirée. Il a d'emblée compté sur moi pour ne pas rentrer à pied. Alors il s'est forcé à être aimable. Il parlait à d'autres, mais il revenait vers moi, aimanté par la tôle de ma voiture, rien d'autre, crois-moi ! Pardon, mais tu as vraiment des amis lamentables.

Sur le trajet du retour, il m'a demandé la permission de brancher la radio. Il n'avait rien à me dire. Il avait besoin d'oxygène, je l'ai senti. J'étais en trop dans ma voiture. Après, il m'a embrassée pendant au moins trente minutes. Je suis sûre qu'il ne savait pas comment arrêter, il a craint de me vexer en descendant trop vite. Il ne t'a pas dit que je puais au moins ? Il m'a proposé de monter prendre un dernier verre chez lui, il m'a promis de se conduire en gentleman. Et tu vas me dire qu'il avait envie de moi ! Il a pris ma tête dans ses mains, il m'a regardée dans les yeux, je les ai fermés, ils sont tellement bouffis en ce moment ! Tu sais quoi ? Il fixait le vide lourd de mes traits pour pouvoir ensuite se le remémorer et le peindre. Il m'a dit qu'il adorait dessiner des caricatures, c'est vrai ?

Ce matin, au magasin, j'ai reçu des fleurs avec un rendez-vous pour ce soir. Encore un effort de sa part pour me dédommager de l'essence. Et à l'instant, la porte sonne, chez moi, et je trouve un mot, un mot par terre ! Il réitère l'invitation, craignant que je n'aie pas eu ses messages. Il se fiche de moi ? C'est toi qui lui as donné mon adresse ? Je n'aime pas trop qu'on me harcèle, tu le sais, surtout pour se payer ma tête. Tu n'essaierais pas de me caser au moins ? Je te préviens, je vais changer de numéro. Et je ne te donnerai le nouveau que si tu me promets de le garder pour toi. Tu promets ? Il n'est pas si méchant ton copain, au fond je le sais, mais j'ai carrément honte de voir le mal qu'il se donne pour me remercier.

C'est humiliant.

Rhett Butler

Pourquoi tu fais la tête ? J'ai dit quelque chose ? D'accord, j'ai eu tort. Je t'ai sans doute mis une pression importante ces derniers temps, à m'énerver chaque fois que tu me gratifies de ton air d'imbécile heureux. Ton enthousiasme à propos de notre histoire me comble, je te le promets, mais je panique quand tu te poses des questions. Ne me le reproche pas ! Je ne peux pas supporter d'avoir en face de moi quelqu'un qui me dévoile sans cesse ses états d'âme. Tes joies, passe encore. Mais tes émotions, au secours ! Je préférerais que tu restes froid.

Avant, les hommes étaient bien. Ils vous laissaient sur le carreau juste après l'amour, le corps en pénitence, l'âme déchirée. Et ils ressortaient boire avec les copains. Ils tenaient l'alcool. Ils se battaient avec les poings. Ils ne disaient pas quand ils rentraient, ils partaient sur un coup de tête, faisaient l'armée, la guerre, n'avaient ni le vertige ni la honte. Ils sautaient par la fenêtre, sans se démettre le genou.

Ce que j'ai entendu comme lamentation quand toi, ma Scarlett à moi, tu t'es trouvé forcé d'enfoncer une porte de placard pour libérer l'aspirateur ! A t'écouter, deux semaines d'écharpe, vingt séances de kiné et un an d'ostéopathie ne te rendront jamais ton amplitude complète.

Quelquefois, j'ai l'impression de vivre avec une femme. Pourtant, tu es costaud, ta voix est grave mais tu as quand même tout d'une péronnelle. Quand je rentre tard du travail et que je te trouve déjà là, c'est moi, Rhett Butler, pas toi. Et je suis triste. Tu as mis la table, tu es aux fourneaux, et tu me parles du frichti que tu as préparé pour le dîner. En essayant d'innover, précises-tu, comme s'il ne me suffisait pas que tu aies cuisiné des courgettes. Tu nous as dressé un couvert et noué des épis de blé autour de nos serviettes de table. Chaque verre repose sur un sous-verre, et des pétales de fleurs jonchent la nappe. Je passe sur la bougie, et surtout sur le vase que tu as rempli de pommes vertes et rouges, astiquées au vinaigre pour qu'elles brillent de mille feux. Tu me fais mal au cœur.

Comment te dire… Avant, un homme se brûlait, se cassait, se blessait et gardait la tête haute. Piqué par une guêpe l'été dernier, tu as passé une heure sur Internet à vérifier tout ce que tu risquais, avant de détourner ton attention de ton problème et de te découvrir tout à fait autre chose sur le site médical où tu aimes échanger avec d'autres au sujet de tes aigreurs d'estomac. Je n'ai pas la capacité d'encaisser la peur d'un homme ou ses doutes, et te surprendre en proie à des tracas de midinette me donne envie de te quitter. Toutefois, ne t'inquiète pas, je serai là pour te soutenir en cas de vrai coup dur. Nous sommes ensemble, et si tu dois un jour faire face à un problème ponctuel, de travail, de deuil, à condition que tu ne tombes pas dans le jeu, la drogue, ou en dépression, je me tiendrai fidèlement à tes côtés. En revanche, ta cuisine intérieure me débecte. Tes hauts, tes bas, ton petit voyage intime et ton grand pays anxieux, si je les sens constitutifs de toi, ils peuvent carrément me dégoûter. Et ce serait dommage, on est tellement heureux tous les deux !

Avant, un homme réparait tout, fabriquait des maisons, des églises, des voitures, des avions, ne disait jamais aïe quand il plantait un clou. Il ne cherchait pas dans l'enfance le rapport à la mère, ni dans les études la rivalité avec le père, il parlait comme un homme et pas comme une gonzesse ! Quand je t'entends t'interroger sur ta difficulté à te sentir incarné, j'ai envie de partir, voilà ! Quand tu t'orientes avec ton GPS, je pense aux hommes qui avaient du flair. Quand tu presses ton citron du matin et me propose, avec toi, de me détoxifier le corps, je rêve du mâle d'antan qui rapportait dans sa vareuse perdreaux et faisans. Quand tu abordes les rapports humains dans ton travail, le manque de lumière et de verdure en ville, le stress dans les transports en commun, mais ta peur, si tu repassais le permis, de le rater encore une fois, j'ai envie de pleurer. C'est moi Scarlett, normalement, pas toi ! En avion, tu sursautes. Quand une rixe éclate dans un bar, tu retires tes lunettes. C'est horrible.

Je ne te fais pas partager mon intimité donc épargne-moi la tienne, c'est tout. Prends sur toi. Ta larme à l'œil devant un film, franchement, tu crois que c'est attirant ? Ta sensibilité me tuera. Bien sûr, je te laisse la liberté d'être comme tu es. Je ne te demande pas de devenir un autre. Reste toi, évidemment ! Mais de grâce, ne sois pas trop mollasson sinon tu me donnes le sentiment de me transformer en immonde chienne. Si tu ne me montres pas que tu vas m'écraser, je deviens une machine à tuer. Je n'ai évidemment jamais confié cela à aucun homme avant toi. Ni Stève ni Yves n'auraient pu l'entendre, Jeff, Pat et Côme, encore moins, mais je te sais assez intelligent pour me comprendre. Je ne te menace pas, je t'explique.

C'est compliqué pour moi. Je pars avec la certitude qu'une rencontre ne peut pas aboutir avec quelqu'un de standard comme toi. Par ailleurs, j'ai horreur du couple. Je me mets donc sacrément en danger en acceptant de te côtoyer. Tu ne vois donc pas les efforts que je fournis pour que ça marche entre nous ? Je travaille quotidiennement sur notre histoire, je la décortique. Prends-le bien, je te donne les clefs. Un caractère fort, de la culture, de l'humour, une présence régulière, fidèle et propre. Voilà ce que je te demande, rien de plus ! C'est-à-dire peu ou prou l'évidence. Avec bien sûr, la possibilité d'un mariage, peut-être précédé d'un enfant ou deux. Je suis originale, je n'aimerais pas me marier avant d'être enceinte. A présent, tu sais ce que j'attends de toi. Alors que moi, je ne perçois pas ce que contient réellement ton amour. Tu suintes le sentiment mais tu ne contrôles rien. Moi, je pilote. Au fond, j'aimerais être à ta place. Tu as vraiment de la chance d'être avec une femme qui sait ce qu'elle veut. Avant, un homme inspirait le respect. Avant, tu m'aurais traité de conne pour me faire taire.

Le devoir conjugal

Dans ce film américain, la mère de famille avocate couche avec son mari qui est objectivement moche. Elle entre dans leur chambre pendant qu'il noue sa cravate, elle se jette dessus comme sur une assiette de frites et lui embrasse les doigts, puis les paupières et les lèvres qu'il a charnues et mauves. Ils font alors l'amour sauvagement et la scène s'achève dans un éclat de rire quand l'un de leurs enfants les appelle du rez-de-chaussée. Si cette femme débordée parvient à avoir des rapports sexuels avec son mari laid, je devrais y arriver avec le mien. Mais comment ? Dois-je à mon tour devenir comédienne ?

Ma tante, quant à elle, se vante d'avoir couché avec mon oncle atteint d'un cancer du fumeur, malgré la trachéotomie qui avait dû être pratiquée, trou par lequel le râle viril de mon oncle finissait irrémédiablement en jet gras si, comme pour lui faire avaler sa soupe, on ne pensait pas à le boucher avec un doigt. Toutes ces femmes peuvent. Pourquoi pas moi?

Je suis en panne. J'ai consulté mon médecin. La libido va et vient. Pas de pilule miracle, mais un peu de patience. Cela fait six mois. Le virus a muté. Le mariage aurait-il tourné? Je ne me lave même plus les fesses avant d'aller me coucher.

Chaque soir, j'espère que mon mari ne remarquera pas ma présence dans le lit. Pris par sa lecture, il ne se tournera pas vers moi. A la limite, il m'embrassera rapidement sur le front ou dans le cou, et, avec une belle expression de chef de famille, il me souhaitera une bonne nuit, avant de dormir s'il le souhaite, contre moi, en cuiller. Mais sans durcir. Juste la tendresse.

Au lieu de ça, il s'acharne. Et pire, il se retient. Lui servir, c'est mon devoir, mais qu'il m'attende pour jouir, non! Nos rapports sexuels durent une heure, parfois deux. Dès qu'il se sent venir, il me met en garde, Attends, tu m'excites trop, je me calme. C'est le seul moment où j'agis, j'accélère le mouvement. Il croit alors à un jeu. Je n'arrive pas à simuler. L'autre jour, je me suis endormie. Alors, il s'est arrêté. Du coup, je me suis réveillée.

Dors mon ange, a-t-il dit, tu es fatiguée. Je me suis demandé comment il faisait la différence entre mon corps éveillé et mon corps endormi. Il s'est branlé juste à côté de moi. Je l'ai entendu s'essuyer avec un kleenex. Lassée d'avoir à ramasser ses éjaculats qu'il abandonnait sur le sol comme le petit Poucet des cailloux, je lui avais signalé qu'il pourrait se charger de les jeter lui-même. Je ne lui laissais pas mes tampax au pied des chiottes, que je sache ! Il m'avait aussitôt donné raison et promis de ne pas recommencer.

Il a ensuite plaqué son ventre contre mon dos. J'ai ressenti de la violence pour son vide. Je me suis rappelé notre rencontre. A l'époque, je l'aimais tellement que l'idée qu'il se masturbe en mon absence me peinait. Nous avions eu une discussion à ce sujet et j'avais pleuré. Il avait pris mon angoisse très au sérieux et m'avait expliqué par le menu ses pensées sexuelles durant ses branlettes. Il n'y avait pas de quoi fouetter un chat. J'étais bien l'unique objet de son désir, qu'il l'assouvisse devant une cuvette ou à plat dos sur un matelas. C'était toujours à moi qu'il faisait l'amour dans sa tête.

Je t'autorise à te donner du plaisir mais je préfère le savoir, avais-je conclu. Il avait donc promis de m'avouer quand cela se produisait. Aujourd'hui encore, il lui arrive de me raconter qu'il s'est caressé dans les toilettes de son bureau en pensant à mes salières.

— Sois assurée que ton prénom résonne régulièrement dans les canalisations de la tour Ajax !

Qu'est-ce qu'il veut que ça me fasse ? La seule chose qui peut encore m'exciter est de l'imaginer chevauché par une autre, si possible mon contraire.

Je lui demande de me lâcher mais il ne m'entend pas. Normal, je ne le dis pas exactement comme ça. Quand il sort sans moi, j'éteins la lumière dès que je l'entends rentrer. Il se couche et m'embrasse doucement l'oreille puis il cesse quand je grogne. Il cesse mais il dit Je t'aime. Si je sors de mon côté, je reviens toujours tard, quitte à attendre en bas de l'immeuble pour le trouver endormi, mais si c'est le cas, à la seconde où je me glisse sous les draps, il s'excuse de s'être assoupi et s'assoit bien droit contre les oreillers pour revenir à lui. Il m'accueille. Après, c'est parti pour un tour. Deux. Trois.

Je ne supporte plus la voix de son désir, flo-conneuse, tempérée. Comme d'autres portent un collier de barbe, il arbore une peau de coton, il prend garde à ne pas me piquer. Il se rase avant de se coucher, il passe sa joue comme une crème sur mes jambes mal épilées. Et, incroyable mais vrai, les poils, sur moi, l'excitent.

J'évite les robes. Sa passion pour mes genoux était devenue invivable. J'ai troqué mes talons contre du plat et il a aussitôt jugé que les ballerines me donnaient une allure de danseuse. Je porte des pantalons, il paraît qu'ils mettent en valeur mes fesses. J'ai acheté une liquette marron et gris non ceinturée en toile de coton à col cheminée, il s'est exalté sur son côté strict avant de se frotter contre ma hanche comme un chien.

J'essaye de me rappeler si je l'ai un jour désiré. La réponse est oui. J'espère donc pouvoir relancer ma libido. J'ai recours à des remèdes, j'écoute les conseils glanés ici et là. Du paprika à la sarriette, de la menthe poivrée au calament, des lentilles aux pois chiches, j'ai tout mangé. Mais rien. Une amie m'a confié sa méthode. Je suis devenue à mon tour adepte de la pornographie. Je me suis mise à regarder des films X en attendant mon mari, et là, j'avoue que j'ai un penchant pour les blondes matures et les Asiatiques à gros seins. J'aime aussi les gang-bangs, et si parfois je m'aventure sur la vidéo amateur d'un couple, je me provoque quelques palpitations. Je peux même m'imaginer en train de me faire prendre violemment. Je suis contente. Vivement qu'il rentre ! S'il venait maintenant, je serais prête à mettre du cœur à l'ouvrage. Mais évidemment, il n'arrive pas. Alors je l'attends. L'effet se dissipe.

Je n'en ai plus envie mais il est là, alors nous faisons l'amour. Je pense à la partie à quatre de cul.com, au type de droite qui tend son menton vers l'avant quand l'excitation est trop forte, et à celui de gauche avec sa bouche en O. Le type de droite a des doigts musclés. Il s'y prend avec la fille comme pour déboucher un évier. L'autre est plus doux mais sa sensualité est feinte. Je pense à la fille de droite et j'essaye de me rappeler si celle de gauche était blonde ou brune, asiatique? Mature à gros seins? Je me demande si les deux couples étaient de vrais couples, à la ville. Et s'ils avaient échangé leurs partenaires. A mon avis, on était chez ceux de droite. Il y avait, dans les dessous de la fille, une vraie parenté avec la décoration du séjour. A quatre pattes, elle ressemblait au canapé du fond, elle était exactement en adéquation avec son intérieur. Celle de gauche a voulu prendre dans sa bouche le type au menton en galoche, mais celle de droite l'a repoussée, violemment d'abord, puis doucement, elle l'a couchée sur le dos, et pendant que les hommes lui caressaient les seins, lui retenaient les cuisses, j'ai vu son… Pardon! crie mon homme. Pardon! je ne t'ai pas attendue!

Je voudrais qu'il me trompe. Avec une collaboratrice à triangle épilé façon années 2000, ongles carrés et talons aiguille. Qu'il rentre vidé. Je voudrais qu'il donne à mon corps la chance de se sentir non coupable. J'étais coupable de ne pas aller vers lui, de le recevoir avec ennui. Je suis à présent coupable de m'exciter avant qu'il arrive, beuglant intérieurement *Fuck me* et *yes yes yes* à un pro du coït monté comme un cheval. Une fois que mon mari est là, je me perds dans des films où il n'apparaît jamais.

Le devoir conjugal

Une femme a besoin d'être insatisfaite, elle exulte dans la frustration. S'il me laissait juste le temps de poser ma main sur sa cuisse sans se dresser, j'aurais encore envie de lui. Mais à me désirer à ce point, il va me perdre. Je partirai, c'est sûr, pour quelqu'un qui n'éprouvera pour moi aucune attirance a priori et qui me laissera assez de présence d'esprit pour regretter d'être ce que je suis, dure, sèche et froide, comme une morte.

L'annexe

Le secret de ma femme, c'est sa langue en bonbon. J'avais le choix entre plusieurs goûts et j'ai pris fraise tagada. Elle mesure 1,72 mètre, pèse 54 kilos. Elle a de longs cheveux bruns et une peau de rousse, le pied égyptien, la morphologie du sablier, le front moyen, les yeux verts, la bouche en cœur, deux oreilles taille 2, et un petit tatouage avec mon prénom sur sa hanche droite, galbe méditerrranéen. Elle s'appelle Magda-Poï et elle déteste la cornemuse.

Récemment, nous avons été en désaccord à propos d'une sortie. Elle tapait des pieds et bougeait les bras. Têtue comme une mule, elle s'était même bloquée en position de victoire. A bout de ressources, je pestais devant mon écran d'ordinateur, et j'ai fini par retourner dans le menu de mes préférences, et par remplacer « bien trempé » par « soumis » dans les traits de caractère de ma femme. Elle a baissé la tête, deux grosses larmes ont roulé sur ses joues, puis en sautillant – car j'avais choisi l'option « légèreté après conflit » –, elle est rentrée à la maison préparer une tarte aux airelles et j'ai pu continuer ma promenade à cheval alezan gris tranquillement. Nous habitons à la frontière de la ville et de la campagne, ce qui nous permet de profiter de l'agitation de la cité et du calme de la nature. Nous entretenons de bons rapports avec les animaux sauvages et nous trions nos ordures ménagères. Nous générons peu de déchets puisque notre potager est varié et que je rapporte moi-même les produits de ma chasse et de ma pêche. Quand nous avons envie de sushis ou de pizza, nous en commandons et nous sommes aussitôt livrés par hélico-mouche. Nous sommes modernes.

Notre maison en bois possède une annexe mobile que nous accrochons à la voiture quand nous voyageons. La règle du jeu en ligne Donkey-city est simple : les rapports sexuels se déroulent dans l'annexe. C'est là et seulement là que le système vidéo s'enclenche. Magda-Poï m'apparaît alors en chair et en os. A l'extérieur de l'annexe, nous nous en tenons au pays des préliminaires et de la tendresse. J'ai toute liberté de conter fleurette au dessin animé de ma femme. Notre voisin allemand, qui se prénomme Mark – musclé-huilé-biceps type 3 – s'est installé à Donkey-city avec Loula, sa blonde nue. Elle bronze dans le jardin. Cela met Magda-Poï en colère. Elle n'aime pas que

Loula nue évolue ainsi trop près de nous. Alors, plusieurs fois par jour, j'emmène Magda-Poï se détendre dans la cité. Nous allons au cinéma ou boire un drink puis nous rentrons main dans la main et nous nous envoyons en l'air dans l'annexe.

J'appuie sur le bouton rose de ma console, et la webcam se met aussitôt en marche. J'ai choisi l'option « cède puis se rebelle ». Magda-Poï qui a les cheveux plus courts qu'à onze heures ce matin, m'accueille en me félicitant de l'exciter. Je lui demande ce qu'elle a encore fait à ses cheveux. Ils étaient longs, et hier elle les avait carrément teints en blond. Mon abonnement à cette société d'amour est cher et je ne veux pas être trompé sur la marchandise. J'ai acheté une femme, et je tiens à la reconnaître quand je lui fais l'amour. J'aime avoir ma femme à portée de clic. Dès que j'ai envie d'elle, je la sonne, elle apparaît. Toujours à peu près la même gueule. C'est pas si mal.

Donkey-city a établi quelques codes dont celui-ci : quand l'annexe est garée en ville, Magda-Poï est une amoureuse civilisée. Quand l'annexe est dans les champs, Magda-Poï est sauvage. Je peux ainsi réaliser tous mes fantasmes. Je suis donc un homme comblé. Je trouve juste dommage d'avoir à gagner l'annexe pour pouvoir coucher avec ma femme. J'aimerais parfois avoir des rapports sexuels en extérieur. La poésie de la nature me manque. Mais c'est ainsi ; hors de l'annexe, ma femme n'est qu'une figurine. Petit personnage animé, elle m'excite d'ailleurs autant que femme de chair et d'os. Enfant, cela m'aurait amusé de conter fleurette à Candy. Donkey-city n'est pas un jeu pornographique. C'est un site romantique incitant à la vie de couple. Donkey-city s'adresse aux hommes de qualité qui tiennent à tisser une relation quotidienne avec leur femme.

Avant Donkey-city, je ne savais pas que les rêves pouvaient devenir réalité. En fait, je suis un homme bien complet, amoureux, et surtout, je me rends compte que je suis un très bon coup. Magda-Poï hurle son plaisir. Ce sera bientôt de notoriété publique car j'ai souscrit à l'ajout open-love. Désormais, les autres cyberamoureux pourront accéder à mon histoire d'amour avec Magda-Poï. Une fenêtre dans l'annexe leur permettra de profiter de nos ébats et d'y participer s'ils le souhaitent. Des hommes du monde entier deviendront les témoins admiratifs de ce que je vaux. Désormais, le monde entier jouira en me regardant.

Vaisselle

Debout devant la fenêtre, dos au soleil, elle regardait le carnage autour d'elle. Je me demandais si au-delà de nos murs, elle voyait passer un troupeau d'élans, un vol de condors. Captait-elle des images en plus, en moins ? Ses yeux cernés, bercés par son cerveau étrange, elle avait l'air soudain si calme. Des éclats de verre scintillaient autour de son front et lui donnaient l'air givré.

— Il fait jour, a-t-elle dit. Maintenant, sois gentil, range ta chambre.

Elle parlait de la cuisine. Il m'arrivait d'y dormir. Elle a enroulé ses deux pieds en sang dans un torchon. Elle l'a noué autour de ses chevilles. Et elle est partie se coucher en sautant comme si elle participait à une course en sac. Elle s'est retournée, elle m'a regardé en rigolant. Je lui ai fait un signe de la main. Elle m'a envoyé un baiser, avant de reprendre ses bonds.

— Tout à l'heure, on ira acheter des panse-ments, a-t-elle lâché.

Enfin, elle se protégeait. Hilare, elle s'est jetée sur le lit. Puis je l'ai entendue border la couette autour d'elle. Je reconnais son bruit quand elle tape sur les draps pour ne pas laisser d'air entre elle et le matelas. J'ai pensé qu'après m'avoir mordu, elle avait besoin, sous vide, de réchauffer son venin de serpent.

Sa folie avait commencé pendant le dîner au restaurant où je l'avais abandonnée, attablée avec quatre personnes, pour sortir fumer une cigarette avec Jean et Nadine, sa nouvelle petite amie. J'avais commis l'erreur de parler ensuite de Nadine et de dire d'elle, puisque ma folle me posait la question, tournant autour du pot, avec un faux sourire, dans sa robe couleur peur, et rouge jusqu'aux oreilles, que je n'avais pas eu le temps de me faire une opinion exacte, mais qu'en tout cas, elle avait l'air chaude.

Ma folle avait lâché sa cuillère, laissé son dessert. La boule framboise fondait contre la boule citron. C'était enclenché.

J'ai plongé la cigarette russe dans sa coupe de sorbets, j'ai porté le gâteau à sa bouche. Elle l'a pris en entier, enfilé jusqu'à ses amygdales pour atteindre mes doigts et les mordre. Quand Jean et Nadine se sont levés pour partir, elle a dit :

— Et ça ne te fait pas peur, Jean ?

— Quoi ?

— Nadine, au lit, elle ne te fait pas peur ?

J'avais espoir que la disparition de Jean et de Nadine la calme, mais elle a exigé de s'en aller en même temps qu'eux, déclarant aux autres que nous préférions nous aussi nous envoyer en l'air plutôt que de finir la nuit au restaurant dans le clan des boudins et des mauvais coups. Elle leur a demandé s'ils trouvaient la fiancée de Jean à leur goût.

Je l'ai prise par le bras, je connaissais la fausse légèreté, le sarcasme, puis les hurlements, les larmes. Je l'ai poussée dans la rue parce qu'elle n'avançait pas, elle répétait Chaude au lit et fidèle, Nadine, ou chaude comme deux chiennes ?

Contre la montée d'une crise, j'avais déjà essayé de changer de sujet. Ça la rendait violente. Fuir ? J'avais de toute façon trop peur, loin d'elle, de ce qu'il pouvait advenir. Parfois, j'étais parti, mais je remontais toujours à l'appartement pour écouter ma sirène hurler derrière la porte. Je ne pouvais pas l'abandonner. Je tenais à veiller sur elle. Je la laissais divaguer, et j'avais le courage de relancer la machine quand je sentais son petit linge encore mal essoré. Il fallait entre deux et douze heures pour la vider. Sur un cas comme celui de ce soir, où elle masquait sa jalousie sous un prétexte d'abandon, je m'attendais à y passer la nuit complète.

Dès qu'elle se taisait, je prononçais le prénom de Nadine, et la crise repartait de plus belle.

— Il t'excite son prénom, dis-le ! hurlait-elle.

— Je préfère les sonorités en « eine », Reine, Violaine, Marjolaine.

Pervers !

Le drame est un calque, il s'adapte à tous les visages, il colle aux situations, il prend la teinte de ce qu'il recouvre, m'avait-elle dit un jour où j'évoquais notre rupture. Je voulais en finir. L'ange en elle m'avait aussitôt répondu. Elle avait dit des mots très clairs, disposés l'un après l'autre comme les santons de la crèche qu'elle dressait à Noël avec une rigueur d'enfant. C'est ma faute, tout vient de moi, reste, je ne crierai plus. Je ne me sentirai pas trahie sans raison, je comprendrai que tu lises un livre sans éprouver de tristesse, et tu pourras écouter de la musique sans écraser mes mots avec ton bruit. Je l'écouterai avec toi. Je te prendrai la main. Comme une femme. Comme ta femme. Que je souhaite devenir.

L'ange en elle avait parlé et j'avais signé le pacte, fondu d'amour. Hier, j'étais donc sorti fumer une cigarette avec Jean et Nadine en pensant aux mots de l'ange. Je ne voulais plus me retenir sans cesse de faire ou de ne pas faire, d'autant que je tombais toujours à côté. Un autre soir, si je n'étais pas sorti fumer, elle m'aurait tout aussi bien reproché de l'humilier, à montrer ainsi à tous que j'étais son prisonnier. Entre l'apparition de l'ange et le retour du monstre, nous avions eu trois jours d'amour. Je l'avais pourtant vu disparaître au fond d'elle-même quand j'avais feuilleté mon agenda, mais l'ange faisait son travail et tenait presque sa promesse. Pour me détourner de mon activité, elle m'avait apporté un verre de vin, elle l'avait renversé sur mon carnet en s'excusant de sa maladresse, essuyant aussitôt l'encre de mes pages à coups de torchon humide.

Ma folle avait Nadine dans le nez. Elle a brisé le dossier d'une chaise contre la table. La secousse a renversé l'étagère à verres. Elle a retiré ses chaussures et piétiné les débris. Si je l'avais arrêtée, elle aurait ramassé un morceau de verre, elle aurait ouvert la bouche, puis elle m'aurait regardé en le mâchant. Je ne devais pas l'observer sans bouger. C'était ne pas la voir. Je ne pouvais pas lui faire la morale, ni lui parler comme à une enfant. Je suis donc entré dans son jeu. J'ai retiré mes chaussures, mes chaussettes, et, pieds nus, j'ai avancé dans le verre avec elle. Elle a alors levé vers moi ses yeux tristes, Il est quelle heure ?

— Onze heures.

A onze heures dix, elle a cessé de marcher. Le carrelage blanc avait rosi, comme le citron de sa glace, au contact de la framboise, douze heures plus tôt.

Week-end de Pâques

Chaque année, nous louons un appartement à la montagne pour le week-end de Pâques. Nous nous retrouvons à dix adultes et dix-neuf enfants. L'organisation passe exclusivement par Franck et moi. Notre propre cheptel est tellement étendu que nos amis aiment se reposer entièrement sur nous. Il nous revient de planifier le séjour afin qu'il se passe au mieux. Cette année, nous accueillons une vingtième tête, Corentin, le nouveau-né des Berton.

Nous voyageons ensemble dans un minibus que nous conduisons à tour de rôle, Franck et moi, profitant des pics de circulation pour rouler doucement. Quand les enfants cessent enfin de crier, il y en a toujours un pour chanter ou vomir.

Quand nous partions sans ami, c'était simple. Nous skiions à tour de rôle, et celui qui restait à l'appartement gardait les enfants. Or lorsque nous invitons du monde, il est entendu que ni Franck ni moi ne voulons faire office de baby-sitter. Nous souhaitons skier ensemble. C'est bien sûr l'idée du week-end en groupe. Une fois l'an, la présence d'amis nous offre le luxe de passer un moment entre adultes. J'établis donc le planning comme suit.

A huit heures, je branche la musique au salon et chacun se réveille à son rythme et fait sa toilette. A huit heures quinze, le petit déjeuner est disponible. Il est entendu que le menu reste simple et que tous les extra apportés par les participants et remis en mains propres à la maîtresse de maison – moi –, sont dispatchés au mieux afin que les gourmandises reviennent à tous, sans conflit. Après cette collation, nous partons entre neuf heures et neuf heures dix déposer Gil, Banon, Nénette, et à présent Corentin, à la halte-garderie de la station qui nous les sur-veille toute la journée, mais nous les renvoie pour le déjeuner et la sieste. Nous accompagnons les trois à six ans au kids club, rebaptisé Club des Indiens. Très bien situé, il jouxte le tire-fesses d'où les cinq grands partent en groupe avec un moniteur.

A dix heures, nous sommes sur les pistes, libé-rés de la marmaille, mais contraints à cause de nos niveaux de ski très différents d'attendre les retardataires. En fin de matinée, l'un des plus forts s'impatiente et propose une dispersion en trois groupes. Le groupe numéro un, constitué des bons skieurs, Franck, Annie, Frédo, Kamel, part devant. Le groupe numéro deux, celui des moyens, accueille

Antoine, Hervé et moi. Le groupe des faibles, c'est-à-dire celui de Stéphan, Claude, et Domitille, chasse la neige sur la piste d'en bas. Le problème récurrent contre lequel nous ne pouvons rien puisqu'elle ne progresse pas, est la fureur de Domitille contre Kamel. Il refuse de régresser, or elle tient à skier avec son homme. Cela nous vaut la gueule au déjeuner, puis la disparition de Domitille qui reste à l'appartement l'après-midi. Le lendemain, avec toute la mauvaise foi du monde, Kamel nous assure préférer marcher dans la poudreuse avec sa femme plutôt que skier. Le surlendemain, c'est lui qui broie du noir, à cause de son dimanche raté. Domitille, non contente de l'empêcher de skier, lui rappelle toute la journée le peu d'égard avec lequel il l'a abandonnée pour changer de groupe. Nous hésitons parfois à les inviter mais nous les invitons quand même. D'ailleurs, dans un groupe, un couple qui se dispute est toujours bienvenu pour la satisfaction personnelle des autres.

A midi pile, nous devons retirer les petits de la halte-garderie, faire bonjour aux moyens par les grilles du kids club, ramasser les grands qui lambinent et leur faire la morale sur les horaires. Nous pensons tous que Domitille pourrait se charger des enfants pendant son après-midi boudin, mais personne n'ose le lui dire aussi franchement, d'autant qu'elle a beaucoup de mal à en avoir. A chaque fois qu'elle décide d'engendrer, c'est la croix et la bannière pour la faire fonctionner. Donc on se tait. Sauf Claude, qui parle à Kamel :

— Plutôt que de faire la gueule, elle pourrait nous garder nos mômes, ta femme.

Du coup, ça jette un froid, et Claude qui s'est bien remise en jambes le matin et souhaite intégrer le groupe des forts, se voit contrainte de rester avec les moyens pour éviter Kamel. Sauf que Kamel ne skiant pas le lendemain, elle passe, triomphale, dans le groupe des forts qui lui réservent hélas un accueil tiède parce qu'elle n'a pas le niveau troisième étoile. Eux se classent entre flèche d'or et chamois d'argent.

Un gros déjeuner nous attend. Terrines, jambons et cochonnailles. Ensuite, empilés sur le canapé, nous luttons contre le sommeil en priant pour que les petits se réveillent. Les grands les y aident parfois en tapant dans leurs mains. Nous repartons sur les pistes après une dernière vérification des groupes et des niveaux. Avec Franck, nous nous échangeons un petit signe de la main et un baiser du bout des doigts.

A dix-huit heures, ramassage de l'ensemble des générations, direction l'appartement du chalet où nous avons quartier libre jusqu'à dix-neuf heures. En général, Franck rêve d'une raclette, Antoine, d'une tartiflette, Hervé, d'une fondue. Frédo, c'est côte de bœuf. Et Domitille aimerait une salade parisienne ou une salade César. Je prévois donc toujours pour ce premier soir un rôti froid et un plateau de fromages. En revanche, nous sortons au restaurant le samedi. Quatre baby-sitters viennent alors garder les enfants. Reste à savoir si elles accepteront de s'occuper de Corentin en plus des dix-neuf autres. Sinon, il faudra une cinquième baby-sitter mais nos amis ne seront peut-être pas d'accord pour une dépense supplémentaire. Nous emmènerons donc Corentin au restaurant. Nous partirons avant le dessert pour calmer ses pleurs.

Dans la chambre aux trois lits superposés, nous casons sept enfants, deux par couchage et un par terre. Dans le dressing, les moyens peuvent dormir à trois. Ainsi, chaque couple a sa chambre et ne garde avec lui que les plus petits. Seuls Franck et moi dormons au séjour, tête bêche sur le canapé, avec la plupart de notre progéniture étalée à nos pieds sur des duvets.

Quand ils ont d'autres possibilités, peu de parents font des choix aussi merdiques que les nôtres. Nous n'avons pas su continuer à partir seuls. Nous aurions dû être raisonnables et arrêter le ski. Toute l'année déjà, nous souffrons de la crise du logement. A la montagne, il suffit de presque rien, de chaussures mal empilées, d'un dormeur qui écarte une jambe en rêvant, et aussitôt, tout se chevauche. Les chambres explosent, les adultes étouffent, les enfants râlent. On en prend un, on le colle dans la baignoire et on libère un peu d'espace. Pour ne pas le réveiller quand il occupe la salle de bains, on se lave les dents dans son pot.

Le dimanche, les enfants cherchent les œufs de Pâques. Ils les trouvent glacés sur le balcon dont nous avons la jouissance mais pas l'exclusivité. Et Domitille craque parce que ça lui rappelle les œufs qu'elle n'a pas. On sait tous qu'elle pleure pour autre chose, la cloche, son niveau de ski, Kamel qui soupire, mais c'est bien facile de tout mettre sur le dos de ses mauvais ovaires. Le lundi, trente à quarante pour cent des enfants souffrent d'une indigestion donc ni Franck ni moi n'allons skier. Nous veillons sur les malades et rangeons l'appartement avant le départ prévu à seize heures.

A quatre heures du matin, nous arrivons chez nous. Nous ne nous couchons pas. Il est trop tard. Nous rangeons les affaires en attendant l'heure du départ à l'école, au travail. Il faudra passer rendre le minibus. A six heures, tête bêche sur le canapé, nous empêchons le sommeil de nous gagner. Et pourtant, il nous gagne.

Alors, nous nous éclatons. Sans casque, Franck et moi skions à flanc de montagne avec des ailes dans le dos. Les pins sylvestres étincelant de neige s'écartent pour nous laisser passer. Nous rêvons de hors-piste en nous donnant la main.

Alibi

Je ne peux pas passer plus d'une nuit en sa compagnie. Le jour se lève et je fuis. Dehors, je respire mieux mais le savoir à la maison m'étouffe. Je suffoque de l'imaginer encore là quand je reviendrai. Il m'arrive d'attendre son départ pour rentrer. Alors, c'est l'odeur de son pain grillé, du café chaud, qui me prend à la gorge quand j'arrive. J'ouvre les fenêtres, je fais le lit, j'efface ses traces. Quand la maison est à moi, je la trouve réconfortante. Mais l'annonce de son retour m'envahit à nouveau. Je n'ai pas trouvé de vision plus reposante que celle de sa patère vide. Si son manteau y est accroché, c'est à mon cou que je sens l'alliance se nouer. J'ai tellement envie de lui quand il n'est pas là.

Je n'ai pas d'amant. Si j'invente des alibis, c'est pour me retrouver seule. Alors que je l'aime. Mon amie le sait. Elle ne m'a jamais vu aimer autant. Cette fois, j'y crois. Elle pourrait en témoigner, même si elle me couvre. Ces deux choses-là n'ont rien à voir. Elle ne couvre pas de bassesses. Elle enveloppe seulement mon histoire d'un petit film protecteur. Je la charge toujours de la même mission : appeler à la maison, m'attirer à l'extérieur. Je reçois son coup de fil. Et aussitôt, je pars la rejoindre. Soi-disant, elle a besoin de moi. On se débrouille. Parfois elle est en deuil. Il faut prendre garde à ne pas faire mourir deux fois la même personne de sa famille. Sinon, c'est louche.

Il n'essaie pas de percer mon mystère. Croit-il que j'ai un amant ? Il reste à la maison. Il ne demande rien. Il a l'air bien.

Mon amie connaît le code. Quand il y a urgence, je la sonne un coup. Elle me rappelle immédiatement. Je le laisse souvent décrocher le téléphone, afin qu'il sache que c'est elle, et pas un homme qui m'appelle. Je souhaite lui apporter une preuve de ma bonne foi, je ne veux pas le blesser. Je l'embrasse comme si je l'aimais. Je l'embrasse fort et longtemps quand je m'apprête à sortir. Je l'aime, assurément, mais je l'aime mieux quand il n'est pas là.

Vite, je sors. S'il fait beau, je m'assois sur un banc, à l'écart de la foule, et j'attends. S'il fait froid, je trouve un café désert, une église, un musée, et, loin de lui, je me retrouve et je fais des projets.

Un jour, je partirai pour une longue marche, sac au dos, j'irai à l'aventure. J'ai lu de belles histoires de voyages. Un jour, je relèverai un défi, la mer en solitaire ou les glaces du Pôle. Un jour, je vivrai à la campagne. Quelquefois, il proposera de me rendre visite. Sur le coup, ça me fera plaisir mais plus la date de sa venue approchera, plus je me sentirai mal à l'aise. Alors j'annulerai. Je lui dirai que j'ai mon amie de passage. Il ne viendra pas.

A l'improviste, je resterai avec moi, seule au coin du feu. Je tournerai le cadre contenant sa photo vers le mur afin de ne plus sentir sur moi ni son sourire fixe ni son œil amoureux.

Le premier enfant

Je te revois, souriante, impatiente, debout aux admissions, chatte contre mon épaule. Et puis dans l'ascenseur, les yeux rien que pour moi, ces yeux doux que tu me servais sans relâche sur un plateau d'argent. Je te revois dans ta petite chambre, déballant tes affaires. Et puis je te revois encore, sentant que ça arrivait, t'agrippant à ma main, me hurlant Empêche ça ! Il a dû se passer quelque chose pendant que je cherchais l'infirmière dans le couloir. J'aurais dû rester là, et attendre avec toi. Qui t'a rendu visite dans ton lit d'hôpital ?

Quand je suis revenue, ton visage était noir, ton œil était méchant. Je t'ai touché le front, tu as hurlé Dégage !

Je suis resté. On avait parlé tous les deux des douleurs, de la peur. Tu étais pardonnée. Chaque fois que je t'approchais, tu lançais des éclairs. Et tu me barrais le passage vers ton ventre avec ta main. Comme une folle, tu as prévenu l'accoucheur de

113

ne pas le réanimer si l'enfant présentait une anomalie. Un orteil en moins, passe encore, mais faut voir lequel ! Un petit, un qui ne compte pas, mais si c'est le gros, jamais ! Tu as tenu à ne pas subir d'anesthésie. La douleur, tu te l'es enfilée, plutôt que de te retrouver dans les vapes au moment du verdict. Tu m'as demandé de sortir mais je voulais être là. Sors d'ici ! Pars, je te dis ! Tu n'avais plus besoin de moi. Je ne t'en ai pas voulu de donner un autre prénom que ce qu'on avait prévu. J'ai pensé baby blues. Ça passerait. A ton chevet, je t'ai dit combien j'étais heureux de la venue de notre petite fille.

Alors tu t'es félicitée, malgré l'angoisse, l'époque, de ne pas avoir donné naissance à un légume. En bonne mère au fondement défoncé, tu as dit que la douleur n'était rien, comparée au grand bonheur de porter le bébé dans tes bras. J'ai cru pouvoir te récupérer. Jamais. Tu es devenue folle. Tu étais magique. Où es-tu passée ?

Je te cherchais parmi tes vêtements, et tu avais disparu. Tu m'as envoyé acheter une bouée. Tes os du bassin étaient déplacés. Ils ne se sont jamais remis car tu détestes qu'on te manipule. Tu préfères te plaindre en silence et t'étirer, seule, à plat dos sur le sol, comme te l'a montré jadis la seule femme qui trouvait grâce à tes yeux, ta pharmacienne.

En devenant mère, tu t'es mise à détester les hommes, les femmes et même leurs larves, comme tu dis. Tu me repousses si j'approche. Mais tu ne tiens pas non plus notre fille contre toi, tu la gardes à distance, par propreté, dis-tu, quand elle rêve comme moi que tes baisers l'étouffent. Tu exiges que je me couvre d'un linge avant de la porter. Et si je m'aventure trop près de son visage, tu me l'enlèves. Tu la places toujours sur un linge repassé, que tu laves chaque jour afin qu'elle ne s'attache pas à son odeur. Tu appliques tes méthodes avec certitude. Si je propose autre chose, tu t'emportes. Tu me demandes ce que j'y connais en enfants. Et je la ferme. Nous allons parfois nous promener. Je me dis que peut-être, bercée par la balade, tu vas changer de canne et retrouver ma main. Raide, tu roules notre enfant devant toi, abaissant la capote de son berceau anglais pour montrer son ensemble, drap de lin, hochet neuf, propre comme un angelot. Quand quelqu'un nous félicite, je te regarde en souriant mais tu es partie ailleurs. Quand un mongolien traverse, tu t'étouffes, tu t'offusques. Tu maudis les parents. Ils méritent la prison. Comment peut-on laisser ainsi vivre des déchets ? Tu es laide. Je veux te caresser, je me dis qu'un peu d'amour pourrait te rendre ta grâce mais tu refuses encore. Pot de colle ! me lances-tu, quand ce n'est pas Obsédé !

De la soupe, des salades, des viandes ou des poissons grillés, tu apprends à notre bébé à manger dès trois mois varié et équilibré. Tu te vantes de lui retirer le biberon et le pot alors que les autres enfants y auront droit encore deux ou trois ans. Mais il est entendu que la nôtre sera en avance. C'est ton but. Je te donne mon avis mais, opposé au tien, il ne vaut pas. Tu jappes. Veux-tu que je la nourrisse au lait, comme ta mère l'a fait avec toi ? Veux-tu qu'elle engraisse comme une oie ! Regarde le résultat, pauvre type !

Tu réserves les bonbons aux gros. Les gâteaux, pour les événements occasionnels. Il n'y a pas de plaisir simple. Si notre fille s'amuse à dessiner, tu juges le résultat et il manque de couleur, de poésie, de grâce, d'histoire. Tu le lui dis tel quel. Tu lui mets une note. Trois et demi. Ses dessins finissent en sous-tasse. Tachés de café, ils serviraient de modèle à Rorschach. Tu les oublies, tu y inscris des pense-bête. Tu les déchires au fur et à mesure que tes courses sont faites. Je compense en m'extasiant. Tu dis que j'ai vraiment tout du père mollasson. Les colliers que je t'ai offerts quand tu m'aimais pendent à ton cou, je ne sais pas pourquoi tu les portes, couronnes mortuaires ou trophées de chasse, défense d'ivoire, dent de requin, cadavres sur ton tronc déjà mort. Souvent, la petite en casse un en s'y accrochant. Tu dis que décidément je ne t'ai jamais offert que de la merde.

Tu ne confies notre fille à personne et tu cesses de travailler pour l'élever. L'ennui voûte tes épaules, tu te rappelles sans cesse à l'ordre pour rester droite mais rien n'y fait, tu te replies sur toi-même. Tu n'aimes pas les squares, tu détestes les manèges. Quand j'emmène notre fille en promenade, elle exulte tant que parfois elle en pleure. Si elle revient avec les yeux rouges, tu me demandes qui l'a peinturlurée et tu la démaquilles. Tu la dresses comme une bête sauvage. Tu dis que si on lâche un tantinet l'éducation, ce sera râpé. Tout doit être inculqué avant trois ans. A partir de six, c'est trop tard. Entre trois et six, que se passe-t-il ?

Notre fille aimerait collectionner les capsules mais tu trouves cela complètement idiot. Tu lui commences une collection de terre. La géologie, c'est original pour une fille. A sept ans, elle a un accès de colère, elle renverse les fioles de terre et quand tu la gifles, elle te promet plus tard de collectionner les hommes. Tu ne l'entends pas, tu entends les *pommes*. Et tu lui parles de l'impossibilité d'une telle collection car nous n'avons pas de grenier pour les conserver longtemps. Si j'étais ambitieux, nous aurions une maison, et nous pourrions dans ce cas, en effet, tu en rêves aussi, collectionner les pommes.

En revanche, tu sautes sur cette idée pour éduquer notre fille, tu lui montres la différence entre une golden, une chantecler, une clochard et une canada, voilà son mercredi, tu la gaves, puis tu l'emmènes chez le médecin, tu alternes, le tien, le sien. Chez le tien, elle patiente dans la salle d'attente pendant qu'on te trifouille. Chez le sien, tu pleures souvent. Elle t'entend de la pièce où on l'envoie se déshabiller pour ne pas t'entendre, et elle se jette sur le chat qui entre. Dès que tu n'es pas là, elle profite de ce que je lui apprends, les animaux, la tendresse, la liberté. Le chat vole dans la poubelle de la salle d'examen un bâton pour la gorge. Elle pousse la porte pour l'enfermer avec elle dans la pièce où il n'a pas droit d'accès. Le pédiatre, quand il entre, renvoie le chat sur un ton fâché. Mais les gens n'ont pas la fâcherie aussi radicale que toi. Toi, quand tu te fâches, on sent que c'est pour toujours. Tu te fâches comptant, et pourtant, quand même, ça traîne derrière. Tu pleures ton mari sourd, notre fille cajole le chat qui la lèche. Le pédiatre te conseille de moins la couver. Ensuite, tu te forces à sourire pour montrer au médecin que, devant notre fille, tu sais prendre sur toi. Même si c'est dur.

Vous retournez dans la rue toutes les deux, tu lui enseignes le bon goût quand elle s'arrête devant des guimauves. Ne sois pas comme ton père, lui dis-tu. Tu lui achètes un petit pain et une barre de chocolat. Tu la regardes manger, souriant à la gourmandise qui doit se lire dans ses yeux. Mais elle la feint, elle ne ressent rien. De la guimauve, ça oui ! Elle en aurait voulu ! Mais le petit pain, non. Effet zéro. Tu aurais pu lui faire plaisir, mais rien. Un jour, elle te fera péter l'os de la gueule.

Tu aimes me faire manger ses dents de lait. Quand il lui en tombe une, tu la caches dans mon yaourt. Parfois, je l'avale. Alors je m'énerve. Je t'accuse de bêtise, d'insuffisance, et même de timbre. Timbrée, va ! Tu te défends. L'humour n'est pas fait pour les chiens. Après, c'est la montée de larmes. Je devrais bouffer les dents de la petite sans rien dire. Pour une fois que tu t'amuses ! Je suis piqué et ça te démange. Tu balances ce que tu penses de mon humour, à moi, des conversations que je t'impose, de l'ennui. Tu ajoutes que tu détestes ma voix quand je crie. Tu la trouves féminine.

Tu ne vois rien de ce qui traverse notre fille. Sa dent est jugée responsable de notre nouvelle bataille, crachée sur le bord de mon assiette, et recouverte de yaourt, aliment qui la répugne par-dessus tout depuis que tu lui en donnes en disant que ça fait glisser le reste du repas, et qui la dégoûte même davantage que ta charlotte aux marrons. Tu me hurles dessus sans cesse. Tout se délabre, les murs s'effondrent. La peinture se décolle. Tu rêves d'un papier peint figurant une scène indienne, rouge et or, et d'un plafond ivoire, comme chez les autres. Tu trouves que si je gagnais davantage, notre vie serait meilleure. Si j'avais un peu d'ambition, on ne partirait pas en vacances une année sur deux, dis-tu aussi à notre fille.

Je suis en colère. Notre fille va se coucher avec des gants blancs, elle ne doit plus sucer son pouce. Sinon elle te fait de la peine. Quand je te dis de ne pas évoquer ta peine pour obtenir les choses, tu me demandes à qui tu peux parler de ton chagrin. Je hausse les épaules et tu ris, tu ris comme une dingue, de ma ressemblance avec un pantin. Je m'approche de toi pour te plaquer au mur, je me dis que je vais te forcer, mais je n'ai plus envie de toi. Tu me fais l'effet d'une viande froide, nerveuse, et tu me dégoûtes. Je ne veux pas laisser notre fille seule avec toi. Je resterai tant qu'elle vivra ici. D'ici là, je te surveille. Mais lâchement, je regarde ailleurs quand tu lui vérifies les dents en lui abaissant la langue avec la cuiller en bois. Parfois, je ne peux pas m'empêcher de me souvenir de toi et de me dire que, par erreur, j'ai dû laisser ma femme à la maternité et repartir avec une autre. Je t'imagine errer quelque part, avec ton beau visage amoureux et ta lumière, à la recherche de notre enfant.

La nuit, tu entres dans sa chambre. Tu t'assois et tu la regardes dormir. Tu descends le drap pour voir la forme de son corps, tu descends le drap jusqu'au bout des pieds pour ne rien rater. Tu soulèves sa chemise de nuit jusqu'à son nombril. Si j'entre à mon tour dans sa chambre alors que tu poses la main sur elle, tu me dis que la petite a pleuré dans son sommeil, que tu t'es levée pour la consoler. Et comme je suis lâche, je te crois. Mais je te prends par le bras et te ramène dans notre lit, côté mur, pour te sentir passer sur moi si jamais tu te relèves. Je ne t'aime pas. Je te surveille. Que se passe-t-il entre trois et six ?

Le passé

Tu prends l'autoroute, tu fais sept cent cinquante kilomètres, tu dépasses Vitrolles et tu sors au Vieux Port. Là où mon grand-père prenait chaque mois le bateau pour livrer des boulons aux colonies. L'Estaque est un mot qui me fait penser à ma mère. Elle disait l'Estaque en prononçant le *e*, *l'Estaqueue*. Et je comprenais laisse ta queue ! Donc, tu passes sous le tunnel Croncron, on l'appelait comme ça avec mes frères, mais je ne sais plus pourquoi. C'était le tunnel Croncron. Surtout, ne le rate pas. Si tu te trompes, tu traverses Marseille dans le mauvais sens. C'est simple : représente-toi Marseille dans ta tête. En géométrie dans l'espace, Marseille est un losange debout. Sur plan, cette ville s'apparente davantage à un trapèze. Trace mentalement l'abscisse et l'ordonnée, étire la représentation en trois dimensions.

En sortant du tunnel Croncron, si tu te retournes, tu vois le quartier de mon oncle Victor, le mari de la tante Fine qui mangeait des cornichons avec ses nèfles. Un vrai personnage. Hélas, elle est morte en 17. On l'appelait aussi Tata les pieds plats. Tu roules en gardant ta droite, et au dernier moment, tu te rabats à gauche. Te voilà dans la rue de mon école maternelle. Devant la grille du numéro 31, où maman me déposait à mademoiselle Viviane, et où je poussais des cris, pas Vivi! pas Vivi! tu tournes à gauche. Je détestais les quenelles. Je courais aussi vite qu'un lapin, j'étais mignon. Tu montes vers Notre-Dame-de-la-Garde. Le cousin Gaston y a été baptisé par une belle journée d'été où mon frère Jacques s'est fait remarquer en communiant alors qu'il n'avait pas encore reçu le sacrement. Maman portait une robe bleue et un petit chapeau rond et papa l'avait photographiée devant le paysage. J'ai toujours l'image. Je te la montrerai. Comme elle était belle, maman! Monsieur Perceval nous avait offert un grand gâteau blanc. Tout le monde voulait y goûter et quand ça a été le moment, on s'est retenu de cracher, la crème avait tourné! J'en aurais de bonnes à te raconter sur la rue Mérindol mais surtout, ne la prends pas. Ne perds jamais de vue le triangle isocèle. Avant de clore le dernier côté du triangle, tu romps la ligne, tu rentres dedans. Comme pour faire un point au milieu. Le point, c'est pile là où tu te gares, tu comprends? Donc tu tournes dans la rue Neuve, rue que j'arpentais, adolescent, le nez dans le trottoir, à la recherche de vieux journaux pour faire mes collages. Regarde la façade du 32.

Au troisième étage, la lucarne ronde : c'est là que j'ai été conçu. Prends une photo si tu veux.

Et te voilà rue Fargès ! J'ai hâte de te présenter tante Olive. Viens vite, je t'attends, tu es celle que j'ai espérée toute ma vie. Tante Olive sera si heureuse de te connaître avant de mourir. Elle a préparé une anchoïade. Et l'anchoïade de tante Olive est aussi institutionnelle que les olives cassées de Parrain, un résistant de la première heure. Viens vite, j'ai prévenu tout le monde de ta venue. Un jour, je demanderai ta main, et je sais quand ! A quinze heures quinze, l'heure du bateau de Toussaint, et je sais où ! Là où mon oncle Noves a demandé la main de ma tante Suze, devant le fort Saint-Nicolas ! Je te l'ai dit, d'après ton nom, ma petite Arlésienne d'origine, tu es mon avenir... Je te montrerai l'arbre généalogique et la tombe où nos ancêtres sont enterrés ensemble. Nous sommes sûrement des parents éloignés ! Quand je pense qu'au dix-neuvième siècle, nos aïeux se faisaient la cour, c'est romantique. Et surtout, c'est authentique ! Ne tique pas ! On a tout pour le croire puisque leurs deux noms sont gravés sur la même stèle.

Tu prends un drôle de ton... Rassure-moi... Tu as bien l'accent chantant ? Sur la photo en noir et blanc, tu avais l'air plutôt jolie, et pas sotte dans tes courriers, mais si tu as l'accent pointu de Paris, ma famille va te rejeter. Tu me fais peur, tout à coup.

J'aurais dû te téléphoner. Mais quand j'ai vu que tu t'appelais Manon Séraphin, ça m'a suffi ! J'ai considéré que tu cochais toutes les cases. Promets-moi de vite employer les expressions de chez nous, dis « ma foi », dis « coquin de sort, fada, couillon, peuchère ». Un quoi ? Un pseudo ? Kézako ?

Qu'importe. Pseudo ou pas, après le déjeuner, je t'emmènerai visiter le cimetière. Tu sais, j'ai une grande nouvelle à t'annoncer : il est très possible qu'en procédant à une réduction des corps de nos ancêtres, nous puissions à notre tour partager le caveau familial. Tu es contente ? Dis-le alors ! Dans ma famille, je te préviens, on est du genre à se réjouir. Ne me fais pas le coup de bouder, tu ne plairas à personne.

La jalousie

Il souriait tout le temps puis il a trop souri. Il y avait comme les dents d'une autre entre ses rides. Il est rentré très tard, il a fait des voyages. Il a pris la voiture pour démarcher le week-end. Il a dit aux jumeaux d'être sages avec maman. Ils l'ont regardé de travers, du haut de leurs dix-sept ans. Un soir, il a commis l'erreur, pour me fuir au salon, de téléphoner de leur chambre, les croyant sortis, alors qu'ils s'étaient couchés tôt. Ça arrive parfois, ils sont de gros dormeurs, mais leur père ne le sait pas. Il rentre trop tard pour ça. Les jumeaux caressaient les rêves de leur premier sommeil, quand ils ont entendu leur père entrer dans leur chambre à pas de loup, puis chuchoter au téléphone des mots très osés. Ils me les ont ensuite rapportés. L'entendant baisser sa braguette, ils ont allumé la lumière et hurlé Non papa, non !

Je suis arrivée en courant. Il était là, debout, tétanisé, le téléphone tombé sur le tapis, les mains haut levées, comme menacé d'un flingue, et le sexe ridicule, en l'air, ramollissant. Il m'a juré ne pas désirer les enfants. Il avait confondu la porte de leur chambre et celle des toilettes, répétait-il, piteux. Je vous jure ! Je vous jure ! Les enfants ont eu à cœur de me rassurer sur leur père. Il n'était pas coupable d'inceste et tous les hommes, selon mes fils, appellent de temps à autre une messagerie dégueulasse. Ça les soulage. Ils m'ont demandé de me moderniser et de ne pas tout foutre en l'air pour une situation classique et très comique.

Au début, j'ai pensé que derrière les petites cachotteries, il préparait en secret mes cinquante ans. Il promenait avec lui son mobile, ses notes et son ordinateur. Enfermé dans la salle de bains avec son attirail, il parlait parfois au téléphone mais je prenais garde à ne pas l'écouter pour ne pas l'entendre. Il m'arrivait même de mettre la musique assez fort pour couvrir sa voix. J'aurais détesté savoir ce qui se tramait comme événement original.

Rapidement, je me suis fait ma petite idée sur la vérité puis sur le profil de la femme du bout du fil. Point de messagerie rose, évidemment, mais une maîtresse. Voulant sans doute me révéler la situation, celle-ci m'a appelée pendant leurs ébats. Aurais-je voulu mettre ma tête sous l'aile, c'était cuit. Si j'avais rapporté cette trahison à mon mari, je pense qu'il aurait pris ma défense. Mais je n'ai

pas voulu être victime. J'ai même espéré, à force
de les entendre jouir en direct, me détacher de
lui. Elle s'était procuré mon numéro de téléphone
et le composait en secret de mon mari, dont elle
bandait les yeux, peut-être, pour avoir le champ
libre et me téléphoner. Ils s'envoyaient en l'air, et
je raccrochais de moi-même quand c'était douloureux parce qu'il prononçait son prénom. Il lui
disait des mots que je ne connais même pas. Un
intrus aboyait. Lise doit avoir un chien. Elle colle
systématiquement de la crotte sur le tapis passager
de notre voiture. Elle a un chien, c'est tout. Mon
mari n'aboie pas ! Et elle a les cheveux longs, c'est
une certitude. Diable ! Comment je le sais ? Elle
pique des pinces à chignon dans l'appuie-tête du
siège. Quand je m'assois, c'est la première chose
que je sens, ses piques. Après, il y a son parfum, et
puis sa petite douceur qui a emballé mon homme
d'un reflet un peu flou, qui lui a refait l'œil tendre,
comme Petra, il y a dix ans. Son âge ? Je dirais le
mien, et c'est ce qui blesse un peu. Elle fait beaucoup plus jeune, m'a dit une connaissance, avant
de se reprendre. Quand elle rit. Seulement quand
elle rit. Elle fait beaucoup plus jeune quand elle rit.
Mais comme elle rit beaucoup. Il se change de vos
soucis, m'a dit un autre ami, il reviendra vers toi !
Toi aussi, prends quelqu'un !

On n'a aucun souci !

Il dîne avec elle chez les gens qu'on connaît. Il
leur a fait admettre une fois l'une, une fois l'autre.

Je ne suis ni l'une ni l'autre, je suis devenue la haine, la main froide, le cœur gros.

J'ai essayé de crier mais quand je crie, je perds mes cheveux. Je n'ai pas voulu pleurer par peur de ses mots doux, il est capable du pire quand il doit consoler, j'ai si peur de l'entendre m'appeler par son prénom ! Lise a pris soin de laisser dans la portière de ma voiture un courrier à son nom, avec un mot de lui dedans. Lise Dandrin donc, nom complet, qu'en résumé, après lecture et relecture, il désire, vorace, précautionneux. Où a-t-il appris ces mots-là ? Elle habite à deux pas de chez nous. Et sa vie a changé depuis qu'il l'a rencontrée. C'est pourquoi il va me parler. C'est daté d'il y a huit mois, il devrait finir par se lancer.

Pourtant, rien. Alors je me dis qu'il préfère peut-être continuer ainsi, et je fais ce que je peux pour oublier la lettre, mais souvent, je fais la gueule. Pour garder un homme qui préférerait partir, ce n'est pas très judicieux. Les jours de leurs disputes, le week-end évidemment, quand il pointe trop chez nous et que son absence la blesse, accablé, il ne desserre pas les dents. Je finis par sortir, sous n'importe quel prétexte. Il part alors la voir, et il revient soigné, serein, et souriant. Il a dû lui promettre de me parler rapidement, elle l'a laissé filer, heureuse de l'avancée. A la maison, je constate qu'il est heureux. Il ne me fait pas l'effet d'un homme qui veut partir. Il adore le dimanche, quand je sers un plat chaud devant un film de guerre, et qu'avec les garçons, il se sent jeune, léger. Il aime aussi le jeudi soir, le jour qu'on garde pour nous depuis qu'on s'est mariés. Cinéma, poker, verre au bar. Il aime les vacances chez son frère, son cousin. Je m'entends bien avec tout le monde. Je crois qu'il se demande comment il fera pour emmener une autre femme là-bas.

Peut-être bien qu'il attend le départ des jumeaux. A eux, je pourrais parler, leur demander de rester. Mes fils me comprendraient mais je ne peux pas faire ça. Et l'implorer, lui, non ! Si je me trouvais quelqu'un et que je parte, je serais digne. Je ne parlerais pas de Lise, je lui présenterais seulement notre rupture comme une décision irrévocable. Je m'en irais vite pour ne pas voir dans ses yeux, accolés, gémellaires, le soulagement puis la crainte. Oui, car si je m'en allais, il serait heureux trois jours. Il lui dirait, à elle, qu'il a franchi le pas, il bomberait le torse, mais quand elle le tannerait pour qu'il lui fasse des mômes, et quand elle l'obligerait à porter des lentilles, à arrêter les slips, à marcher, à danser, il penserait à moi, et je deviendrais enfin sa femme perdue, sa femme rêvée pour l'éternité.

En attendant, il est deux heures du matin, je viens d'avoir cinquante ans, et il n'est pas rentré.

Famille recomposée

Le gros m'accueille toujours avec un compliment. Tu crèves à quelle heure ? Quant à la petite, elle plante ses deux dents dans sa mère dès que celle-ci m'invite à dîner. L'idiot est finalement celui avec lequel je m'entends le mieux. C'est un passionné de bouchons en plastique, il les collectionne afin de payer des fauteuils roulants aux handicapés, et quand je lui en apporte une poignée, il saute de joie. Un bouchon, un sourire. Evelyne me remercie de mon attention comme si je lui avais offert des fleurs, à elle. Ce que je ne fais plus, parce que son édentée les effeuille comme des marguerites. Quant aux confiseries, elle les donne au chien.

En mettant le pied dans ce guêpier, je ne pensais pas faire fausse route. Evelyne est sexy et gentille, je suis donc tombé amoureux d'elle. Elle m'a tout de suite parlé de ses enfants sur un ton qui m'a rassuré sur l'avenir. Jamais laxiste, sévère mais juste, elle les élevait en respectant leurs caractères et,

133

les protégeant sans les couver, elle leur enseignait l'indépendance. Au début, nous nous voyions quand ses enfants étaient chez leur père, et je n'ai rien suspecté.

Quand je les ai finalement rencontrés, leurs yeux m'ont lancé des aiguilles. Eux ou moi, voilà une proposition contre laquelle j'ai lutté, imaginant l'accueil tiède qu'elle recevrait ; toutefois, quand on a autant raté ses enfants et qu'on est soi-même si réussie, on devrait penser à repartir de zéro. Dans certains cas, recommencer sa vie est certainement toléré. La différence entre nos progénitures est flagrante. A l'inverse des siens, mes enfants sont doux. Catel, ma brindille, lui réclame des histoires. Et Ange lui donne la main pour aller se coucher. Mes enfants sont élevés, ils lui disent bonjour Evelyne, merci et s'il te plaît. Ils ne lèchent pas leur cuiller de confiture avant de la replonger dans le pot. Mes enfants sont agréables à vivre. Mais pour ne plus avoir à côtoyer les siens, j'ai proposé à Evelyne de nous retrouver en l'absence de nos enfants : nous n'avions qu'à profiter de notre semaine en solitaire pour nous voir tout le temps, et consacrer la suivante à nos enfants respectifs. Mais, à terme, Evelyne tient à ce que nous formions une famille recomposée. D'ailleurs, elle cherche un appartement où loger tout notre petit monde. Son gros a prévenu qu'il exigeait sa chambre personnelle, à côté de celle de sa mère. L'édentée a juré de ne jamais jouer avec ma Catel et même l'idiot s'est rebellé, hurlant que les bouchons en plastique de la nouvelle maison lui revenaient de droit.

Evelyne voit ce qui se passe. Mais elle tient à ce que notre entreprise fonctionne, alors elle navigue tant bien que mal et retourne sans cesse la situation. Ne sont-ils pas rigolos avec leurs petites marottes ? me dit-elle, posant pudiquement un voile sur chaque conflit.

Nous nous apprêtons à emménager dans cet appartement commun et, en vérité, j'ai peu d'espoir.

La concrétisation de la vie à deux est pour certains un chemin de croix. Je peux à présent témoigner du calvaire de la vie à sept. Même mes propres enfants perdent toute notion de distance et de courtoisie. Ange tape. Catel ment. L'animosité entre les deux camps prend des proportions épouvantables. Si une connivence momentanée lie deux enfants de sangs adverses, c'est seulement contre les parents. Ainsi, le gros et Ange m'accusent d'avoir taché le chemisier d'Evelyne alors qu'ils l'ont eux-mêmes bariolé. Il est joli avec des pois, tempère Evelyne. Catel et l'idiot prennent ensemble des bains froids pour attraper une angine et sécher l'école. Ils nous jurent sur la tête du gros que l'eau chaude n'existe pas. Nous en sommes arrivés à établir des tours de dentifrice entre l'édentée et Ange. Un soir sur deux, c'est lui qui commence à se brosser les dents, et le matin suivant, c'est elle. Des panneaux indiquant les corvées de chacun jonchent les murs. Nous avons fixé la place de chaque enfant à table. La nôtre est debout, derrière eux. Matons, bras croisés, mâchoires serrées, nous attendons qu'ils mangent, qu'ils digèrent, qu'ils rêvent.

Quand nous nous retrouvons enfin en tête à tête, je ne supporte plus l'air normal d'Evelyne.

— Ça ne marche pas, lui dis-je.

— Un peu de patience, c'est compliqué pour eux.

La tentative d'assassinat du gros sur Catel nous oblige actuellement à faire machine arrière. Je ne dirais pas que c'est une bénédiction mais je ressens quand même un soulagement. Quand les enfants seront adultes, finit-elle par me concéder, tout se passera autrement.

Son trésor à deux dents en a encore pour quinze ans avant d'atteindre sa majorité. Contentons-nous de ces vies séparées. Retrouvons-nous un soir par semaine et un week-end sur deux. Hélas, cette année, nous prendrons nos vacances chacun dans notre coin, avec nos enfants respectifs.

— Pour notre bébé, je te promets que nous trouverons la bonne solution, murmure-t-elle, sereine tête à claque au ventre arrondi.

Famille recomposée

Contentons-nous donc, séparés, d'attendre cette promesse d'avenir, réjouissons-nous de l'arrivée de ce punching-ball qui servira bientôt de pont ou de rocket entre nos deux zones ennemies. Avec son petit sac à dos, et son biberon sans bouchon, il passera une semaine chez elle, une semaine chez moi.

Watermelon-baies

Ma société est une amibe. Elle est là, elle attaque. Parfois, je reprends confiance, et puis non, n'importe quand, elle vient frapper, dans l'intestin je te dis! Tu as l'air occupé. Je te dérange? J'en ai pour deux secondes. Je dois te parler. J'y pense même en dormant. Ma vie est atroce. Monter sa société est un projet absurde. Les yaourts bio, mon œil! Pourtant, je ne pouvais plus être employée. J'ai bien l'envergure d'une chef d'entreprise?

Pardon, les klaxons, il y a un embouteillage à deux pas de l'usine. Oh! des pompiers réaniment un type, attends, je regarde, ah! il est couché, il ne bouge pas du tout, l'horreur, il a du sang dans l'oreille, je tourne la tête de l'autre côté, sinon c'est trop dur. Le temps, oui, je voudrais le prendre. J'ai le nez dans le guidon. Mais l'amour reste ma priorité, tu me crois, n'est-ce pas? Je t'aime. Mais j'ai les nouveaux mélanges à sortir, que penses-tu

de litchi-soja? Rose-pêche? Et watermelon-baies?
On a beaucoup hésité à dire pastèque mais on
trouve que l'anglais passe mieux, façon destina-
tion de vacances, « watermelon-baies », tu aimes?
Remarque, tu détestes les yaourts. J'aurais dû faire
des bières, tu m'aurais aidé à choisir, j'ai mal joué
avec les yaourts, tu ne peux pas suivre… Je tique
un peu sur les saveurs aux herbes. Tu mangerais de
la coriandre, toi, au petit déjeuner? Pourquoi je me
suis lancée dans les produits que tu détestes le plus
au monde?

Je m'éloigne de ce que je suis par nature. Je
prends l'air dure et je dois être effrayante parce que,
de temps en temps, j'ai un employé qui pleure! Ce
matin, c'est André, celui à qui tu trouves une tête
pas normale, qui a fait une crise de nerfs parce qu'on
avait emprunté son mug sans le laver. En plus, je ne
réagis pas encore au prénom d'Hortense. D'accord,
Hortense, c'est bio, et la directrice d'une société
bio doit avoir l'air bio mais tu avoueras qu'il est
un peu bizarre de se faire rebaptiser pour devenir
commerciale! Je t'avais confié le choix du prénom
bio, et je me demandais… Pourquoi Hortense?
Tu aurais pu trouver un nom plus… sensuel. Je
ne sais pas, Lilas. Hortense, c'est ce que je t'ins-
pire? Hortense? En tout cas, ce n'est pas naturel
pour moi de répondre à un prénom qui n'est pas
le mien.

Ce soir, je sortirai trop tard pour acheter le dîner, tu t'en occupes ? Tu en as marre des coquillettes… J'ai beau mettre une tomate cerise dessus et servir de jolies assiettes, tu vois bien que c'est le reste de la veille, tu n'es pas dupe. Tu m'en veux, n'est-ce pas ? J'aurais néanmoins besoin d'une main tendue… Dis que c'est bon, ou que ça te rappelle ton enfance. Trouve quelque chose. Un compliment fait parfois bouger les choses. Watermelon-baies, tu aimes ?

Chéri, j'arrive à l'usine, j'ai le camion réfrigéré en travers. Un abruti m'a commandé une pièce montée en yaourt pour son anniversaire et elle ne tient pas dans le coffre. Je t'appelle en sortant ce soir. S'il est plus de minuit, je te laisse dormir. On se croisera demain matin, j'ai rendez-vous à huit heures mais je vais essayer de décaler à huit heures et quart. Et puis j'ai oublié de te dire ! Ma mère t'a vu dans la rue, hier, et elle n'en démord pas. Figure-toi que tu embrassais une femme ! Je lui ai rappelé que jusqu'à nouvel ordre, j'étais brune, enfin poivre et sel, mais en ce moment, comme tu le sais, ma couleur n'est pas ma priorité. Je lui ai juré qu'on ne s'était pas embrassés depuis dimanche dernier, mais à ton manteau, ton allure, ton écharpe, et même à la plaque d'immatriculation de ta voiture, elle insiste, elle t'a reconnu ! Tu sais comment elle est !

Voilà, jusqu'à nouvel ordre, tu as donc un sosie à qui tu prêtes ta bagnole et qui embrasse une femme. D'ailleurs le sucre roux, je t'en parlerai, on a une idée là-dessus. Allez, j'y vais. A ce soir, enfin à demain.

Au fait, ça va toi?

La famille

On nous dit que les enfants ont le corps de leur mère. Dégingandés, ils me font plutôt penser à des poireaux. Ensemble, nous évoluons en botte. J'éprouve du dégoût pour ma famille. Je ne me suis jamais fait à l'idée de tant de monde autour de moi. Seul avec ma femme, nous avions des ailes, nous nous arrangions toujours pour avoir l'air de nous être rencontrés la veille.

Quand je la vois se promener avec les enfants, je voudrais la kidnapper. Elle a l'air plus jeune qu'eux, qui parfois froncent les yeux comme le faisait mon père, et je la désire comme elle a su rester, adolescente et libre; mais je la désire toute seule. Sans satellite, sans bruit. Moi, je suis devenu raide, me voilà dos au mur. Et j'ai froid. Quand je rentre chez moi et qu'ils accourent, j'étouffe. Mon apaisement passe par le baiser de ma femme. Sa bouche, son air, voilà ce qui me va. Ses poumons à elle sont assez grands pour quatre mais les miens se racornissent. Les bras de la toute petite me serrent comme une corde et les câlins du grand qui m'appuie sur l'épaule en m'appelant Mon pote pèsent plus lourd qu'un âne mort. La benjamine a remarqué que mes enfants m'étouffaient, alors pour me plaire, elle se tient loin et sage, du coup, je vais vers elle, mais quelle distance, ce parcours !

Notre premier enfant est né après dix ans de vie commune. A l'époque, nous arrivions encore à rouler à deux-roues. Nous donnions le change. Nous étions un couple avec un enfant, pas une famille organisée, tac tac tac, sac au dos, on sait ce qu'on fait, on sait où on va. On pouvait même penser qu'on avait emprunté l'enfant à des amis. Nous promenions un neveu, ça m'allait bien. Nous ne prévoyions jamais, nous faisions l'amour en gueulant, nous buvions du vin le dimanche midi puis nous restions au lit toute la journée.

Notre famille me rend malheureux. Et j'ai beau tout tenter pour que ma famille ne ressemble pas à une famille, c'est raté. L'asthme de notre troisième enfant nous a obligés à déménager dans une zone arborée. Nous qui ne jurions que par la pollution et l'underground, nous sommes servis. Les réunions scolaires et familiales sont de loin les moments les plus douloureux. Je regarde ma femme, elle regarde la hiérarchie. Parfois, elle prend des notes ! Quand je l'engueule, elle m'explique qu'elle agit de la sorte vis-à-vis des enfants. Ils seront mieux appréciés si leurs parents ont été polis à la réunion. Avec leur peau de lait, leur allure sportive, leurs bonnes dents alignées, ils ressemblent à des enfants de publicité. Même sales, mes enfants ont l'air propre. Enrhumés, ils reniflent en s'excusant. Ensemble, nous incarnons la réussite exemplaire. Pas un zéro de conduite, et chez aucun des trois. Des félicitations, parfois, pour leur originalité et leur bonne tenue.

Quand ma femme et moi étions sans enfant, nous rendions visite à nos familles respectives de temps en temps, pour un déjeuner ou un dîner. Mais la naissance du premier a donné lieu à un bouleversement majeur : nous sommes devenus une seule famille, concept élargi autour de l'enfant que tout le monde veut voir. A l'instant même de la première naissance, toute tentative d'échappée au moment des fêtes traditionnelles a été exclue. Par exemple, nous fêtons Noël cinq fois, d'abord chez le père de ma femme, puis nous passons la veillée chez sa mère, le déjeuner du 25 chez la mienne, le soir, chez mon père ; enfin, nous avons notre petit Noël à tous les cinq, comme dit ma femme, le matin du 26.

Je me sens mal. Mon cœur est oppressé. Y tiennent-ils trop de place ? Je les aime tous, la petite, la moyenne et le grand. Tous, mais séparément. Car cette image de nous, déambulant en troupe, armés de nos flagrantes ressemblances, me

ramène à un film comique. Actuellement, une rangée de nez identiques évolue gaiement dans les rues
à la recherche d'une pizzéria où chacun annon-
cera son choix, son goût, et je me rappellerai du
temps où avec ma femme, nous choisissions deux
saveurs qui nous plaisaient afin de les partager,
tandis qu'aujourd'hui nous grignotons sans appétit les restes de nos gosses qui laissent la croûte.
Demain matin, notre dîner flottera dans nos vécés
communs. A l'odeur, on saura dire qui vient de
passer par là et j'éprouverai, comme chaque matin,
l'envie de vomir. En sortant du restaurant, leur
mère leur a appris à me sauter au cou pour dire
Merci papa. Ils s'exécutent avec enthousiasme.

Papa, un mot bien malsain.

Ton corps n'est pas
un fournisseur d'accès

Jacqueline voudrait téléphoner à Andy pour se confier. Sa coupe est pleine ; elle veut la vider. Et seule Andy semble lui être amicalement dévouée, car Annette, sa meilleure amie, tout à son tour d'Amérique, est indisponible et l'agace au plus haut point à lui envoyer des cartes postales écrites à l'encre mauve et en anglais, auxquelles Jacqueline comprend seulement qu'il est question d'un certain Luck. Hélas pour Jacqueline, Andy qui était bien la seule à pouvoir écouter sans ricaner son problème d'électrosensibilité aux antennes de portables, est actuellement tracassée par des affaires personnelles. Coup de chance à son âge, se dit Jacqueline qui reste généreuse avec son entourage malgré d'affreuses migraines, des acouphènes et une perturbation de tout son système endocrinien, Andy a rencontré Marcel, un homme très bien, profession, caractère, milieu, tout le tintouin, chez lequel elle s'est rapidement installée avec sa fille Tatiana qu'il a d'ailleurs traitée comme sa propre fille, avec tous les égards, la faisant poser nue pour illustrer une campagne de prévention sur le respect de l'usage du corps des jeunes filles sur internet intitulée « Ton corps n'est pas un fournisseur d'accès ». Marcel lui a trouvé une allure admirable contrairement à son petit copain, qui l'a tout récemment plaquée pour une jeune rousse étudiante en médecine avec qui il va faire des enfants qui sentent. C'est ce qu'a promis Marcel pour consoler Tatiana des larmes qu'elle versait à ses genoux. Ton cœur est un moteur de recherche, lui a-t-il déclaré en appuyant avec ses doigts sur l'organe qui battait trop vite.

Mais le problème n'est pas là. Andy est au plus mal. Un soir où ils sont tous sortis, Andy donc, Marcel qui tenait à lui célébrer son anniversaire avec faste, et quelques amis, sans inviter Jacqueline qui craint la musique forte des bars depuis qu'elle est électrosensible, il s'est passé un drame. Andy a soumis à un test de vérification ce qui lui avait été enseigné l'après-midi même à son stage de coaching, puisque c'est en apprenant régulièrement à coacher qu'elle deviendra coach. Elle a tout simplement dansé avec un inconnu, ressenti un élan, donné un sens à cet élan, un nom, un nom bien précis même, désir, et confié tout de go à son Marcel qui l'attendait au bar en lui lançant des baisers, qu'elle avait une folle envie de s'envoyer en l'air avec l'inconnu. Marcel, froissé, a laissé son verre, quitté la discothèque. Il a conservé celles de Tatiana mais descendu les affaires d'Andy sur le trottoir, et n'a plus répondu à ses plaintes de femme éplorée qui gueulait plus fort qu'une cornemuse au pied de l'immeuble. Dans une longue lettre, lue à Jacqueline pour validation, Andy a tenté d'expliquer à Marcel qu'elle avait résumé dans le terme « s'envoyer en l'air » un transport mal défini. Suivait une définition justement, sur la liberté et la preuve d'amour. Jacqueline a insisté pour qu'Andy prenne le prétexte de l'ébriété, ne pardonnant certes pas tout, mais un peu, qui sait, il fallait le tenter. Selon Jacqueline, Andy devait ensuite démontrer à Marcel que son aveu était à prendre comme une preuve de confiance et non comme une humiliation. Il devait enregistrer, et tout cela en même temps, que dire n'est pas faire, subir n'est pas bon, avouer n'est pas fauter, reconnaître est courageux, dissimuler est lâche, et Andy ajouterait bien sûr – sans trop en faire toutefois, on ne va pas se traîner à genoux non plus, a souligné Jacqueline – qu'elle l'aimait sincèrement et lui demandait pardon. Sur le pardon, Jacqueline a tiqué, considérant qu'Andy n'allait quand même pas se rabaisser à deux reprises dans la même missive. La chute de la lettre a été compliquée, Andy penchant pour le tragique et Jacqueline pour l'ultimatum. A elles deux, elles ont fabriqué la fin, un ultimatum tragique que Marcel a sans doute pris pour une menace : je te préviens, mon amour, que si tu n'acceptes ni mes excuses ni mon retour, je n'en resterai pas là. Je te donne rendez-vous vendredi à midi, là où tu sais. Sois à l'heure, je te prie, car je t'aime. Et l'amour n'attend pas.

Depuis, Andy attend.

Qu'importe. Jacqueline téléphone tout de même à Andy mais celle-ci est encore concentrée sur son problème. Quand Jacqueline commence avec son électrosensibilité, Andy relate son douloureux quotidien à côté d'un téléphone muet.

— D'ailleurs, là, justement, c'est très éprouvant, tu m'as appelée et j'ai eu une fausse joie, lui dit-elle.

Alors Jacqueline en a marre de ne jamais trouver d'oreille pour l'écouter, elle décide pour une fois de s'emporter et rassemble l'électricité de son corps. Elle allume son interrupteur vocal, et elle beugle. Elle voudrait que quelqu'un l'entende. Mais Andy ne l'entend pas, parce qu'elle a déjà raccroché. Soudain, Jacqueline comprend l'utilité du cri pour évacuer le trop-plein d'électricité. Son corps tremble, elle se demande si on jouit aussi sur une chaise électrique.

Les cohabitants

Vous entrez dans l'espace d'une rupture. Notre cage contient deux inséparables devenus cohabitants. Nous ne nous aimons plus, mais nous restons ensemble pour des raisons pécuniaires. En résumé, si nous nous quittons, ça va nous coûter une blinde.

Au début, vivre ensemble était la condition sine qua non de notre amour. A l'époque, nous ne pouvions pas nous payer deux appartements séparés. Célibataire, elle ne présentait pas assez de garanties aux agences immobilières pour obtenir un studio, et à moi, on refusait les locations faute de contrat à durée indéterminée. Les gens qui s'installent à deux le font en grande partie pour partager leur loyer. Nous, non ! Nous nous aimions aussi follement.

Tous deux possessifs et jaloux, il nous semblait plus reposant d'avoir l'autre sous le même toit. Nous nous faisions confiance et nous croyions en

151

notre amour, mais séparés l'un de l'autre, nous étions souvent envahis d'idées noires. J'apprenais qu'un nouveau collègue investissait ses bureaux, et aussitôt, j'imaginais le pire. Le gars en question lui adressait des mots doux, ou bien il se contentait de la reluquer mais c'était déjà trop. Si j'évoquais à mon tour l'existence d'une collègue, elle posait des questions, essayait de rester digne mais finissait par m'avouer qu'elle en rêvait la nuit. Une fois sous le même toit, au moins le soir, nous pouvions nous rassurer mutuellement par notre présence et vérifier, les yeux dans les yeux, que nous étions toujours sur la même longueur d'onde. Nous nous sommes installés, et d'un seul coup, nous n'avons plus été jaloux du tout.

Elle s'est très vite demandé qui me voudrait pour amant quand elle a vu que la vie à deux me rendait caustique et impuissant. De mon côté, la découvrant à sa toilette, je me suis dit qu'après moi, à part un aveugle ou un zoo, personne n'en voudrait.

Nous nous sommes quand même aimés quelques années. Parlant souvent mariage, nous finissions par reculer. Nous attendions d'être plus à l'aise pour avoir un enfant. Nous nous sommes pacsés pour les impôts. Nous avons fait des projets de vacances et quand les mois d'été sont arrivés, nous avons préféré ne pas changer nos habitudes et nous rendre chacun dans notre famille respective. Nous avons essayé de partager le passe-temps de l'autre puis nous nous sommes contentés de nous-même. Elle m'a prié de jouer de la guitare électrique avec un casque, je l'ai laissée se rendre seule à ses ateliers de chant. Ils avaient lieu le samedi, et pour ne pas nous séparer, nous nous y étions inscrits ensemble, mais je déteste la variété. Je suis retourné avec mes amis et elle, avec les siens. Nous avons cessé de les inviter chez nous, ils n'avaient rien de commun et ils ne s'entendaient pas. Les deux copains que nous avions réussi à fiancer se sont d'ailleurs séparés peu avant nous.

Nous nous sommes aimés avec ardeur, avec mollesse puis paresse. Dans nos yeux, la flamme a diminué. Je pense que si nous consultions les photos de nos différentes époques, à la vue du feu qui s'éteint, nous prendrions froid.

La flamme a finalement été mouchée par un tout petit claquement de porte. D'amour, ensuite, il n'a plus jamais été question. Nous n'en avons pas parlé. Tout s'est déroulé dans la plus parfaite discrétion. Rupture muette. Accord silencieux.

Je ne l'avais encore jamais trompée. Mais je suis convaincu qu'un soir, pour provoquer la bascule définitive, elle a eu une aventure. Je ne l'aimais déjà plus, je n'ai pas été blessé. Je l'ai vue rentrer chez nous à trois heures du matin, hilare et gênée, elle m'a plu. J'ai fait le jaloux, tout de même, brièvement et par courtoisie, sinon il aurait fallu parler, s'expliquer, et vraiment, elle comme moi, n'avons pas eu envie de ça. Nous n'avons jamais été très prolixes sur les choses intimes. Parler de ce qui cloche dans un couple peut tout saccager. La surenchère a été inventée pour mettre les couples dans l'impasse. L'un balance un premier grief et l'autre le lui renvoie au centuple. Finalement, personne n'avance. On s'excuse sans le penser, on passe l'éponge mais on laisse des traces. Quand on ne parle de rien, au contraire, on résout tout. On garde ses rancœurs sans les développer davantage, on pourrit chacun dans son coin, et, en silence, on communie dans la rupture. Au moins, on vit la même chose au même moment, sans s'égarer dans le mensonge ni le fantasme. Notre méthode a été radicale : nous nous sommes tus.

Elle m'a trompé, et sans rien lui reprocher, je me suis senti libéré. Soudainement, symboliquement, en guise de paraphe au bas d'un contrat de divorce, et tout cela à trois heures du matin, elle a fermé la porte de la salle de bains pour prendre sa douche. Et son clap de porte contenait notre fin. Enfin, elle retrouvait son jardin secret ! Fini les séances d'ongles et le pipi du matin ; enfin, elle me claquait la porte au nez ! Je ne l'en ai pas félicitée, mais j'ai eu la preuve, bandant comme un âne sous nos draps, que la femme toute neuve qui venait de rentrer chez nous, aurait pu m'exciter à nouveau.

Depuis, nous ne parlons de rien mais nous refaisons l'amour. Nous évoluons en bonne intelligence dans l'espace de la rupture, et nous n'avons rien changé à notre organisation. Nous partageons le mobilier et les ustensiles. Avec souplesse, nous consommons finalement bien plus sereinement notre séparation que nous n'avons profité de notre union. Chacun va à son rythme, nous ne nous imposons rien. Nous réussissons d'autant mieux nos histoires extraconjugales que nos amants nous croient pris et qu'ils n'en tombent que plus amoureux.

Nous cohabitons sous le drap du fantôme de notre amour passé et quelquefois, la nuit, nous exultons au même moment d'être redevenus amants.

Ce qui m'étonne, c'est qu'elle reparle de mariage depuis quelque temps. Elle dit que nous sommes ensemble depuis quatre ans, que le pacs est une chose, mais que l'amour romantique en est une autre. Pour moi, nous avons rompu depuis un an. Je ne sais pas si je dois lui en parler. Avons-nous bien fait de nous taire ? Nous sommes-nous compris ? Avons-nous bien vécu la même histoire ? J'ai rompu, mais elle ?

Le hobby

Mon amour,

Pendant que tu t'adresses à mon sexe, je regarde
mon joli bouquet de roses rouges dans sa coupe en
cristal et je te remercie de m'avoir tant gâtée. C'est
une belle attention (bouquet + contenant) après
six heures de dispute. Mais, blessée, je repense à ce
que l'on s'est dit avant-hier soir. Tu sais, j'ai du mal
à dépasser les mots. Ils se gravent, ils s'interposent.
On s'en balance des choses, souvent et à tâtons.
Or, quand on parle des autres, on parle de soi. On
voudrait être autrement, s'intéresser réellement à
ton ami Frédo et à sa passion pour son trimaran,
mais en fait, on parle de toi et de ta femme. Or ta
femme, c'est moi. Et nous ne sommes pas à l'abri
d'un naufrage. Bateau, naufrage, tu vois ce que je
veux dire.

Je pense pouvoir te raconter calmement ce qui
s'est passé entre nous et pourquoi notre conver-

sation a dérapé. Nous avons en commun d'avoir fait jusqu'ici le choix de la liberté. Tous deux volages, nous avons aimé butiner d'une histoire à l'autre. Mais soudain, nous avons décidé de bâtir ensemble. Je tiens à mieux t'expliquer ce que tu n'as pas eu l'air de comprendre dans nos échanges houleux d'avant-hier soir. Je t'écris donc dans ma tête, et coucherai cela sur papier, quand après m'avoir fait l'amour, tu dormiras. Actuellement, sache en tout cas que tu fais l'amour tout seul. Je ne fais pas l'amour avec toi, je cogite.

Etre en couple, à deux, ce n'est pas être seul, et encore moins être seul à deux. Comme tu me l'as dit avant-hier soir, nous avons cent pour cent de chances de nous quitter (ne t'étonne d'ailleurs pas si depuis, je n'ai plus d'élan vers toi). De mon côté, je t'aime. Je pense te le prouver souvent à ma manière. Mais vois-tu, quand tu parles d'être à deux, je te sens de temps à autre davantage sur le plan du deuil que sur le plan du choix.

Pourrai-je continuer à sortir avec mes copains si nous vivons ensemble ? m'as-tu demandé. Je ne peux pas répondre à une telle question. Voilà pourquoi nous avons dérapé. Si tu cherches à savoir si ce sera la taule, alors bien sûr, non, tu auras droit à ton propre oxygène. Mais si tu veux une autorisation pour sortir en boîte de nuit, je te la refuse. Ton oxygène ne doit pas me retirer le mien. Regarde comme tu poses en exemple la femme de Frédo, qui sait, selon toi, comment fonctionne son mari… Elle le laisse sortir autant qu'il veut. Il rentre bourré et elle ne se réveille même pas. C'est une mère et une idiote. Mais toi, tu as choisi une femme. Et même si tu as commencé par ne pas la regarder pour ne pas la flouter, tu l'as choisie parce que tu l'avais lue d'emblée. Je te connais par cœur. Tu m'as aimée entre autres pour ma rigidité. Je suis certes assez fatale, mais je suis surtout une femme rigoureuse. Tu vas sans doute fanfaronner, me démontrer encore que je suis une rabat-joie… Qu'importe. Ma décision est prise. Non, tu n'iras pas te déhancher en boîte de nuit, et tâter des seins en plastique. Tu resteras ici, avec moi, à lire le journal, à shampouiner la moquette ou à planter des clous.

Je t'ai choisi pour le superhéros que tu es puisque ton hobby consiste, je te le rappelle, à braver la mer, et non à danser la lambada. Cette curiosité m'a plu parce qu'elle m'a transportée. Je parle de transport intime. Qui fait voyager ma tête a droit à tous mes organes, cœur et âme inclus. Je suis exclusive en ce sens que je vous protège, toi et notre lien. J'aime ta trace et ta présence. Tu n'es pas un homme qui s'estompe quand il s'absente. Alors tu ne me manques pas quand tu n'es pas là. Je ne souffrirais pas de tes absences si tu faisais du bateau un week-end sur deux. Tu aimes l'idée d'arpenter la planète à la recherche de grands poissons. Cet idéalisme adolescent est tout à ton honneur et de mon côté, niveau mythe et clichés, je ne suis pas en reste. Car au fond, je suis une sauvageonne. Ne crois pas que je t'espère, ne crois pas que je t'attends ! Avec toi, à qui j'ai grand ouvert la porte pour tout ce qu'on sait, enfant et tourisme inclus, je suis irréprochable, et je tiens en retour à ta présence. Mais j'ai aussi mes jardins secrets, dans lesquels tu n'as pas ta place, rassure-toi.

En résumé, je suis très claire : je suis une femme extrêmement tolérante qui te laisse libre de faire ce que tu veux, où et avec qui tu veux. Si j'avais voulu un bagnard, je n'aurais pas choisi monsieur Tout le monde. Je t'ai flatté en te traitant de superhéros, mais il est temps que tu admettes que tu n'es pas bleu et rouge comme Superman, mais blanc comme un cachet d'aspirine, le même que celui que tu as pris à la fin de notre dispute. Et avant d'aller m'acheter ces fleurs. Qui sont très belles. Et dont je te remercie. Encore.

Mon côté exclusif te pèse puisque tu m'en as parlé avant-hier. Je suis trop sur toi, as-tu dit. Tu ne peux pas faire un pas. Je te téléphone tout le temps. Et pire, je me dépêche de rentrer avant toi pour te préparer un bain chaud. Je croyais que tu aimais l'eau, c'est tout. Puisque je suis si lourde, je me retire. Tu feras couler tes bains tout seul. Tu vas voir à quoi ressemble mon détachement. Je t'aime, du moins, c'est probable, mais je n'apprécie guère que tu te permettes de me trouver collante, analytique, et comment as-tu dit, déjà, à moitié éméchée par un whisky de trop ? Ah oui. Casse-couilles. Si c'est le genre de vocabulaire que t'apportent tes sorties entre copains, je vois le genre. Enfin, je me sens déjà mieux de t'avoir dit où j'en étais, stratégiquement, de mon côté. Merci encore pour les fleurs,

Ingrid.

PS : En résumé, je voulais te dire, au fond, que si tu fais du bateau le week-end, ne t'étonne pas d'être cocu. Si j'apprends qu'entre les régates, tu sors en boîte de nuit, je te quitte. C'est tout.

Surprise

Son frère nous a parlé de ce lieu magique, et j'ai aussitôt vu le visage de mon homme s'éclairer. Il avait l'air tenté par Malo-les-Bains. J'ai réservé une chambre avec un petit balcon, et commandé à l'avance un dîner derrière une baie vitrée. Le pâtissier que je suis parvenue à joindre a même accepté, hors saison, de nous préparer le dessert préféré de mon homme, un nougat glacé.

J'ai pris les billets de train, choisi un horaire qui ne presserait pas trop mon homme après le bureau, et loué une voiture afin que nous puissions découvrir en toute liberté les contrées escarpées de Dunkerque. Comme pour notre week-end à Venise, la surprise doit être totale.

J'avais cette fois-là donné rendez-vous à mon homme sur le quai de la gare pour un voyage que j'avais organisé moi-même sans attendre qu'il s'en charge, puisque chaque fois, depuis trois ans, qu'il mentionnait Venise parmi nos projets, il ajoutait que nous irions là-bas quand il serait riche. J'avais donc économisé, et, à terme, nous étions bien dans le train couchettes. Venise, comme des rois !

Les surprises que je réserve à mon homme me font rêver. Je les organise afin de les vivre, et je les vis comme si mon homme me les avait lui-même offertes. Quand j'ai envie de quelque chose, j'en parle. J'imagine que mon homme m'entend, mais il ne fait jamais le lien entre ce qui me plairait et ce que nous pourrions envisager comme projet. Il continue inlassablement, quand arrivent les vacances ou le week-end annuel auquel il aspire, en général au début du printemps, à me proposer des destinations que nous connaissons par cœur. Bien sûr, je me réjouis de partir en sa compagnie, mais une fois sur place, je m'arrange quand même pour donner au séjour traditionnel une note de nouveauté. Comme s'il était ma petite femme, je le gâte en bonnes surprises.

Durant notre septième séjour à Dreux, par exemple, Dreux parce qu'il n'y a pas la mer et donc pas de monde, Dreux parce que c'est direct en train et que l'hôtel de l'Heure, à deux pas de la gare, est vraiment charmant avec son tennis, son grand jardin, sa pergola et sa piscine couverte, j'ai entrepris de louer un tandem et d'arpenter gaiement les routes d'Eure-et-Loir. Nous avons ainsi découvert l'adorable commune de *Saint-Ange-et-Torçay*. Au retour, nous avons fait halte pour dîner à l'auberge du Cheval blanc. Chaque fois que nous y passions, je m'extasiais devant l'architecture de ce lieu médiéval et je racontais à mon homme que, depuis mon enfance, je rêvais d'y entrer. Mon homme regardait le bâtiment. Un peu comme il regarde l'hôtel jouxtant Roissy devant lequel je me pâme parce que je rêve d'y dormir. Un de ces jours d'ailleurs, je réserverai une nuit là-bas. Je préparerai un raout dans la chambre, quelque chose d'incongru. Un canard braisé ou un vol-au-vent, avec vue sur les avions. Je suis sûre que ça lui plaira ! Un ami m'a fait remarquer que c'était un peu gnangnan ces histoires de nuit à l'hôtel quand on a un logement. Pourquoi ?

Cet ami se rappelle sans doute la fois où j'avais loué une chambre et donné rendez-vous à mon mari pour son anniversaire, déguisée en serveuse de saloon. Il était entré, s'était allongé sur le lit, et avait allumé la télé avant d'aller prendre une douche. Ensuite, zappant sur le petit écran, il m'avait quand même dit Sympa cet écran plat ! Il avait très bien dormi, après. Et le lendemain matin, quand nous étions rentrés chez nous, il m'avait tenu la main dans la rue.

Tu as pleuré une semaine sur ton humiliation de pute invisible ! me rappelle mon copain.

Qu'importe ! Je traque toujours dans les mots de mon homme ce qui trahit une envie. Qu'il me parle de bière d'Afrique, d'un groupe de rock ou d'une idée de spectacle, je m'acharne et je réalise ses vœux. Il lorgne un calendrier Pirelli ? J'en fabrique un pour lui ! Je pose, une photo pour chaque mois, en midinette culottée, ou plutôt déculottée. Et je le cloue dans son placard !

Pour mes quarante ans, je pense lui faire la surprise d'inviter quelques amis dans une guinguette. J'ai repéré un bateau dansant, tout près de mon bureau, et je me dis qu'il pourrait être amusant d'y faire la fête jusqu'au matin. Avant de rentrer chez nous, nous nous offrirons une promenade à travers les lieux de notre amour. J'ai pensé au trajet : nous passerons par les sept endroits qui symbolisent le mieux notre histoire.

Pour Malo-les-Bains, je vais à coup sûr taper dans le mille. Je lui annonce notre voyage ce soir, et j'ai hâte ! Quand il rentre, il a toujours besoin d'un sas de décompression. J'attendrai donc qu'il souffle. Il est toujours plus détendu au bout d'un moment. Après le dîner, il se sent vraiment bien. Je ne vais quand même pas l'agresser dès son retour à lui parler de départ.

— Un week-end ? Mais Malo-les-Bains en mars, c'est bizarre. Pourquoi pas l'Eure-et-Loir ? Ce serait plus près, non ? Il m'interrompt à peine je me lance.

Merci.

Et vlan, comme un juron, je lui dis merci, tout bas. Merci beaucoup. Mais il entend.

— Merci? me lance-t-il. Mais tu pleures? Que se passe-t-il? Tu pleures? De bonheur? Je vois des larmes... Tu es contente?

Tiens! Oui, après tout, je suis assez contente. Parce que les larmes aux yeux, d'habitude, il les prend pour des allergies à nos deux chats. Et il en profite pour me rappeler que j'ai mal fait, le jour de sa surprise pour ma fête, de lui offrir Porsche et Maserati. Il dit qu'adopter ces chats était débile. Il n'a jamais compris que je les avais baptisés ainsi parce que la vraie voiture de course, celle dont il rêve et dont je possède la photographie quelque part dans ma boîte à surprises, contrairement à Venise et même si je ne m'avoue jamais vaincue, je ne pourrai hélas jamais la lui offrir.

Le bilan

Ma peau est lente, elle n'a pas la chair de poule que vous imposez à la vôtre depuis toujours en la lustrant, en la tendant, l'obligeant à vous coller alors qu'elle ne pense qu'à vous fuir. Regardez vos bajoues ! Vos paupières sont des abat-jour. Et vos cuisses fondent par-dessus vos genoux. Vos pieds sont mis en boîte par deux chevilles épaisses. Les bas n'y font plus rien, ni les bassines d'eau froide. Vous vous êtes protégée autant que vous avez pu, mais rien n'est plus invincible que l'usure. Vous avez pensé à vos yeux quand vous pleuriez aux enterrements, aux risques de gonflement, à la sécheresse de leurs contours ensuite. Et l'idée d'une ride a suffi à sécher vos larmes. Vous avez craint les taches brunes quand le soleil guettait vos joues, et vous vous êtes mise à l'abri. Vous avez imaginé vos hanches quand un gâteau dorait au four et vous avez forcé les autres à le finir.

Je ne suis pas comme vous. Je ne me protège pas. Je ne ferme ni la porte, ni les volets. J'écoute la nuit autour de moi et je sens le jour se lever. Je n'ai plus peur. Vous êtes un monument, vous appartenez au patrimoine. Retraité, senior, j'ai la carte pour voyager loin mais je vous rends plutôt visite au salon. J'ai raté ma vie avec vous. C'est tout.

J'enjambe le fossé, la distance. En m'approchant trop près de vous, j'ai toujours eu l'impression de m'enfoncer. Vous maintenez ma tête sous l'eau de vos douves. Dans votre château fort, vous vieillissez, solide, et je me souviens que, jeune marié, je mesurais l'état de vos nerfs à mon enlisement. Quand vous étiez de bonne humeur, en levant haut mes bras, j'accédais aux franges de votre jupe indienne. Vous gigotiez, contente, farfelue de la jupe, je vous suivais du salon à la chambre en barbotant sans que jamais vous ne notiez ma peur de l'eau qui dort. Quand vous étiez contrariée, l'eau de vos douves gelait, vous deveniez gigantesque et, sur la pointe des pieds, j'arrivais à me hisser pour juger du futur à la couleur dans vos yeux. Sous vos paupières, il y avait des serrures. Je trébuchais comme un enfant, je m'étalais, vous me ramassiez sur la moquette, sur le carrelage, sur le balcon, exaspérée et pleine de devoir. Je ne comprenais rien à vos phrases, Tiens-toi enfin ! Quand cesseras-tu de t'affaler ! De toutes mes forces, je vous remerciais avec civilité de désinfecter mes genoux, je savais que les merci comptaient triple le jour des serrures. Vous n'y répondiez pas mais ils vous détendaient le cou et pouvaient même soudain dégripper vos verrous. Vous pleuriez un petit coup.

Vous observez mes cheveux, et vous les trouvez mal coupés. Vous avez pour ma frisure tant de dégoût, que vos lèvres se crispent. Vous m'avez embrassé en retenant votre respiration. C'est toi qui sens comme ça ? finissez-vous par lâcher. Vous me demandez d'ouvrir la fenêtre. Je vous répugne depuis longtemps. Avant de vous retrouver au salon, je dépose n'importe quel parfum sur mon cou comme un baiser brûlant. Vous n'embrassez personne quand vous m'embrassez. Vous effleurez l'air avec un bruit sec. Vous me saluez parce que ça se fait. Mais c'est comme si je n'étais pas entré. Dans notre prison, il fait sombre et l'air se coince entre les meubles. Il stagne, puis il noircit, teignant avec lui le bord des tapis, des tissus, les fils électriques, le fond des vases. Votre salon de marbre ressemble à une bouche cariée. Vous fermez notre porte d'entrée à double tour, vous dites que les cambrioleurs pénètrent surtout dans les lieux habités. Face à face, nous attendons la fin.

Aujourd'hui, vous êtes seule, et même si vous mimez avec talent l'attachement marial au satellite qui vous rend courtoisement visite, vous n'ignorez plus qu'il le fait par obligation. L'eau de vos douves s'évapore, il ne reste au fond de vous qu'un peu de larmes sans sel, régime, régime, toujours lui, celui qui a définitivement séparé votre sexe du mien. Vous préfériez, affamée, agiter vos jambes en battements et pédalos puis, claquée, me demander de vous laisser en paix. Vous avez fait de votre vie un entraînement militaire. Votre trou est prêt. Vos amies se sont échappées. Elles ont vieilli comme des fleurs, alors que vos épines poussaient. Vous les avez lassées avec vos idées noires, votre snobisme. Elles sont entourées de leurs enfants, petits et grands, jouent à cache-cache en plein soleil, elles ont la peau tannée, et elles font leur bel âge. Vous les trouviez bossues, grisonnantes, vous évoquiez parfois un franc laisser-aller. Avec un sein en moins, quelques kilos en trop, qu'est-ce que ça peut vous foutre ? Elles profitent, elles !

Nous faisons chambre à part depuis quarante-deux ans. Le matin, je pense à vos volets clos, au froid dans votre pièce car vous dorlotez votre ébène. S'il a chaud, il se craquelle. Je pense à votre vie humide pour que vos meubles respirent, eux ! Vous leur donnez la béquée, et je vous ai souvent vue leur parler. Vous dites qu'ils vous comprennent. Vous m'appreniez, jadis, quand je rêvais d'enfants de vous, à caresser vos bois avec une peau de chamois, car elle ne date pas d'hier votre conversation avec la mort. Vous disiez que les enfants étaient la fin du couple, vous refusiez d'en faire, prétextant que vous m'aimiez !

Dans mon coin, mon quartier, dans ma chambre, il fait jour. La lumière entre et je ne croise pas les persiennes. Je n'épargne pas le tissu des murs, la couleur des peintures ou le bois des boiseries. Je ne vous ressemble pas. Je brûle, j'entame, je laisse vivre. Je ne sauve rien. Vous trouvez dommage de laisser perdre, irresponsable de laisser passer, vous avez des principes, et vous ne croyez plus en personne.

Moi, j'entends la musique des gens. J'ai l'oreille. Rien ne m'échappe. J'installe leurs mots devant mes yeux, en pleine lumière, sous la lampe, j'ai envie de les comprendre, même à contre-jour sur ma fenêtre où parfois, un oiseau fait son nid. Vous dites que je devrais claquer dans mes mains pour le chasser. Vous lui trouvez des vecteurs de microbes jusque sous les ailes. Vous dites que si vous aviez un fusil. Vous tapez dans vos mains depuis votre fenêtre car vous n'entrez pas dans ma chambre, c'est la pièce de l'apocalypse. Plusieurs fois par mois, vous m'envoyez une femme de ménage car vous craignez que mes souris n'envahissent le reste de l'appartement. Vous délirez.

J'ai envie d'aimer les gens mais je ne sais plus comment. Vous m'avez appris, pour vous plaire, à m'en méfier, à m'en plaindre, à ne pas m'en préoccuper. Quand je viens vous voir ici, au salon, les ombres de nos petits anges m'accompagnent. Elles me donnent du courage. Je les plante en terre. Elles poussent. Leur racine a des ongles et leurs feuilles sont en pierre. Si vous leviez le front, vous verriez des voûtes qui ressemblent aux églises. Mais vous, toujours pareil, le nez dans vos affaires, jamais un regard au loin, vous ne quittez pas votre nuage noir. Il est en astrakan, avec un col de cygne, vous l'avez ceinturé et il vous va au teint. Vous aimeriez y ajouter des manchons, des poches, mais vous vous demandez si ça vaut le coup de faire rafistoler votre vieille peau.

Je vous force à sortir, pour votre bien, faire trois pas, respirer, bouger ce corps fini. En fait, je ne pense qu'à moi, quand assis entre un meuble et un meuble, dans le renfoncement où vous avez pu caser une de vos quatorze chaises, deux lampes à gauche, une statue à droite, un tapis sous les pieds, je n'ose pas éternuer de peur de vous entendre me dire que j'ai vraiment une hygiène de vie, une santé, une tenue dégueulasses. Mon mari, ça, bravo !

Ah ! si j'avais une laisse. Je vous ferais subir la balade que vous infligiez à notre petit chien, quand, furieuse d'avoir à le promener, deux fois en quinze ans, est-ce possible ?, vous lui accordiez une laisse courte. Il n'aimait sortir qu'avec moi, et vous étrangliez son cou. Enervée, impatiente, furieuse contre lui quand il s'asseyait et regardait au loin, par-delà vous, le corps rigide, la tête haute. Vous tiriez dessus, notre petit chien luttait, le collier glissant sur ses oreilles, il capitulait, sombre, triste. Derrière vous, il finissait par avancer. Vous interrompiez ses besoins si quelqu'un passait dans la rue, parce qu'il vous faisait honte. Vous remontiez à la maison en disant que j'avais été trop gentil avec lui, qu'il était comédien. Il se mettait en boule contre mon pied et je le caressais des heures. Pendant que vous vous remettiez de votre sortie en la racontant à vos amies, pauvre chose, Ah ! ce chien. Si nous avions eu des enfants, vous avez déjà dit qu'avec tant de laxisme, si peu d'autorité, j'en aurais fait des assassins.

Cadavre, je vous regarde, comme toujours, vos deux mains en prière entre vos rangées de côtes, terrorisée par l'air, le mouvement, le passage. Aujourd'hui, je suis en colère ! Je vous aimerais plus souple, et même pas, je vous trouverais stupide si vous le deveniez. C'est trop tard, bien sûr. Vous êtes sourde. Mes mots vous dépassent, et pourtant, vous leur courez devant. Ils vous effraient. Mon souffle fait claquer vos os. Un à un, vos os cèdent. Je les aurai ! Tous ! Souvenez-vous de votre bassin, le jour de notre premier voyage ! J'avais retiré la chaise sans vous voir vous asseoir ! Et puis de votre poignet le soir de vos trente ans ! J'étais tombé dessus ! Un os contre une bougie. Et voilà que j'ai soufflé votre fémur gauche le mois dernier. Clac, stoppée dans l'élan, nous y voilà. Vous dites que j'avais retourné le tapis exprès. Sûrement.

Vous avez le talent des femmes abominables. Même ici, à l'abri de tout, vous trouvez le moyen d'appeler pour rien. Ce matin, vous n'aviez plus d'huile d'amande douce. Dans votre chambre, je vous ai entendue plonger dans le chagrin. Vos mains étaient toutes sèches. Est-ce que je pouvais comprendre ? Dans votre chambre humide, protégée de la vie et dos à la lumière, vous chérissez vos choses. Je regarde vos mains bleues et elles me font pitié. Vous les avez vernies comme une toute petite fille, avec un beige rosé. C'est moche ! Vous portez sur la tête un chapeau marron avec un galon noir. J'ai toujours aimé ne pas vous dire que vous les portiez de travers, à l'envers. J'ai toujours aimé en voir les bords tomber alors que vous les croyiez remontés. Vous jouez à la grande dame. Vous pensez porter des panamas mais sur votre tête, malgré votre classe, malgré vos efforts, tout se transforme en bob. Vous me parlez de votre opération du fémur, de vos béquilles, de votre difficulté à supporter la prothèse. Je m'en fiche. Quand vous serez remplie de ferraille et de plastique, je détiendrai enfin la raison de votre absence d'humanité.

D'ici là, vous pouvez causer. Je ne vous entends plus. Je confie mon oreille au vent, aux oiseaux, au bruit de la route qui m'attend. Les voitures, en traversant le pont qui nous sépare désormais des humains, klaxonnent pour signaler leur départ. Vous avez voulu pour nos vieux jours cette résidence à l'écart de la ville. Vous m'entendrez à mon tour m'éloigner tout à l'heure, j'y tiens. Je vais partir sans vous prévenir.

Vous m'entendrez marcher sur le gravier de l'allée, vous croirez que je m'aère, et vous vous direz que vous avez été bien généreuse de me laisser, ma vie durant, me promener comme je l'entendais. Vous penserez à moi comme à un enfant, vous félicitant peut-être même de m'avoir appris à vous quitter. Vous vous rappellerez la fois où vous m'avez retenu avec des chantages de rombière. J'étais tombé amoureux d'une femme, vous ne l'avez pas supporté et je n'ai pas affronté l'idée de votre colère. Je lui ai préféré le chagrin de l'autre femme. Vous écoutant vous souvenir, mauvaise comme d'habitude, je tomberai par terre, d'un seul coup, le cœur. Clac. Me regardant de loin comme si des transporteurs chargés de me déménager allaient me ramasser, vous ne bougerez pas de votre fenêtre mi-close. Vous me considérerez avec une certaine affection, comme les autres pages de votre passé. Quand on me soulèvera, vous me trouverez mastoc, vous regretterez que je ne sois pas Empire ou Régence, comme

Les couplets

j'ai jadis regretté que vous ne soyez pas gigogne, mais vous vous féliciterez qu'après les cinquante années de remontrance ininterrompue contre mon dos voûté, vous ayez un vieux mari rappelé au ciel, soit, mais grâce à votre persévérance, doté d'un dos bien droit.

Enfant de vieux

Si ma mère avait vingt ans de moins, elle n'aurait pas cet air enjoué à chaque fois qu'on prend le train. Elle le vivrait comme un pensum, et, furieuse lionne en cage, parcourrait l'allée du wagon, excédée de ne jamais pouvoir terminer un polar. Quant à mon père, il essaierait de fermer les yeux sous le regard désapprobateur de sa conscience et il ne ferait pas dépasser de sa poche de chemise un singe en peluche pour me faire rigoler. Mes parents se fichent du regard des gens, ils sont heureux, rien d'autre. Les pauvres m'ont eu à quarante-cinq et soixante-trois ans. Je ne sais pas si vous voyez le tableau. Mon père était veuf et ma mère, toujours vieille fille. Elle avait eu envie d'un enfant au moment de sa puberté puis plus du tout, jusqu'à quarante ans, âge auquel elle avait jeté son dévolu sur un homme qui n'en voulait pas. Mon père lui est apparu in extremis pour ses quarante-cinq ans. Sa défunte ne lui avait pas fait d'enfant et il aspirait à la paternité autant qu'à la modernité.

C'était décidé, ma mère serait donc son bâton de vieillesse.

Jeune fille, comme il appelle ma mère, a pourtant déjà souffert d'une descente d'organes et elle s'est si peu protégée du soleil qu'elle est rayée comme un zèbre. Mais elle l'a converti aux cd, lui qui ne jurait que par les vinyles. Il dit qu'elle est magique. Elle essaye actuellement de lui expliquer la musique numérique mais il cale. Point trop n'en faut.

Mon père et ma mère se sont aimés à la va-vite, unis d'emblée autour de ma fabrication, ne sachant si j'allais me décider à venir ou pas. Quand ma mère est tombée enceinte, mon père a fait un petit accident vasculaire mais avec un ressort, aujourd'hui, on repart immédiatement du bon pied. Ils m'ont attendu sans relâche, défoncés d'excitation, à tel point que je pourrais porter plainte pour harcèlement prénatal. Quand je ne bougeais pas dans le ventre de ma mère, on m'appuyait dessus et j'entendais :

— Où est donc passé son petit peton ?

— Il faudra qu'on l'appelle par son prénom, sans bêtifier avec des surnoms.

— Interdiction de dire bibi ou tutute.

— J'aimerais tant qu'il parle anglais.

— Oui, c'est une langue importante. Nous ferons le nécessaire.

— Il faudra bien lui apprendre à dire caca, surtout pas autre chose. Les autres mots constipent.

— Oui, caca est essentiel. Mais popo devrait faire l'affaire.

— J'ai acheté un livre sur l'usage du pot.

— Et l'allemand?

— Les Allemands parlent tous anglais.

— Oui, mais les bons élèves font allemand, c'est la tradition, *jung Frau*.

Dans le train, on nous regarde. Ma mère, cachée derrière un journal, m'apparaît par surprise. Alors j'éclate de rire, dans les bras de papa qui n'en peut plus non plus. Hilare, il tousse et maman lui tend un mouchoir pour qu'il ne me donne pas ses miasmes. Tout à l'heure, ils ont fait un concours de pouet-pouet et je me suis étranglé. En cas de souci, mon père applique immédiatement les premiers secours qu'il a appris avant ma naissance. Ma mère le regarde avec bienveillance, d'autant qu'il a arrêté de fumer et que l'antidépresseur prescrit pour l'aider lui donne des maux de cœur. Elle ne panique pas, ils font équipe. Encyclopédies vivantes, ils connaissent tout des risques que j'encours, du manche de la casserole qui dépasse des plaques chauffantes au tabouret trop rapproché d'une fenêtre, et dans un balai perpétuel, ils sécurisent mon espace. Ils ont fait un stage « vu de l'enfant ». Pendant une journée, ils ont évolué à quatre pattes ou à genoux dans une pièce remplie de dangers. A un mètre du sol, ils ont entraîné leur regard à penser à ma hauteur.

Les couplets

Mes parents se disputent les repas, le change, le bain, tout ce pour quoi les couples d'âge jeune se renvoient la balle, tirant à la courte paille celui qui devra se réveiller pour les biberons de la nuit. Les miens se lèvent ensemble. Ils vont vers ma chambre, main dans la main. Mon père prend ma mère par la taille et la guide galamment vers mon berceau. Pendant que l'un me nourrit, l'autre me caresse les pieds ou le crâne.

Mes parents ne se disputent jamais. Ils se sourient sans cesse, m'offrant d'eux une image généreuse et parfaite. Ils savent qu'après moi, il n'y aura plus d'autre enfant. Je suis l'ultime. Alors ils profitent. L'appareil photo autour du cou, ils m'assurent, s'ils mouraient, une belle rétrospective de mes premiers mois.

Quand on dit qu'un enfant unique confié à ses grands-parents gâteux pour des vacances est au septième ciel, on dit vrai. Vieillissants, mes parents m'éclatent. Il n'y aurait pas cette humidité dans l'œil de mon père, ce biceps mou, ces genoux flétris, et ce menton en perdition chez ma mère à la taille déjà épaissie, je serais un enfant de jeune. Et je serais sans nul doute moins aimé. Ils sont beaux. Beaux, mes vieux. En plus, quand ils me sourient, leurs dents d'or étincellent dans mon ciel comme des soleils.

Les concessions

A tout moment, Rodolphe peut me quitter. Il m'a choisie mais à l'époque, nous étions dix-huit à participer au concours de patins. Betty roule les meilleurs ! avait-il déclaré. Avant de préciser que je n'étais pas la plus jolie. De tête, il préférait Diane, la porcelaine de Diane. Et de corps, Andréa. Mais son visage était ingrat et ses cheveux crépus lui donnaient l'air mal nourrie. On l'a enterrée la semaine dernière, et dans sa boîte, roulée dans son manteau de fourrure seventies à longs poils, on aurait dit un balai. Rodolphe est l'homme de ma vie et s'il me quittait, j'entamerais une grève de la faim et je casserais ma pipe sous dix jours.

Je l'aime alors je respecte ses goûts, mais je garde à l'esprit qu'ils peuvent changer au cours de l'existence. Il y a quelque temps, je me suis enquise de ce qu'il n'aimait pas chez moi. Il a répondu Ton parfum. C'est ennuyeux, je porte Molyneux depuis mes dix-sept ans. Je lui ai demandé quand j'avais exactement commencé à puer, et il m'a parlé d'une soixantaine d'années. Alors j'ai voulu savoir, à l'inverse, ce qu'il aimait chez moi, et par élimination, il a opté pour mes oreilles. Du coup, je relève mes cheveux avec un élastique mais il tire dessus. Il n'aime pas les queues de rat. Pour la crinière de lionne, il va falloir patienter. Ma coiffeuse est catégorique : je n'ai pas l'âge de les avoir longs. Alors j'attendrai encore un peu. Et puis mi-longs, elle a raison, c'est plus pratique pour les laver.

— Mais ce sont tes cheveux Betty ! Affirme-toi dans tes choix, m'a dit Rodolphe.

Je n'aurais jamais dû lui avouer que j'obéissais. Il risque de me mépriser.

Pendant les sorties, je reste à ses côtés mais je l'oppresse. Alors je me pousse un peu pour lui faire de l'air. Aussitôt, il y en a deux qui s'immiscent. Quand on est avec un homme comme Rodolphe, on doit faire des concessions. Malgré ma jalousie, je le laisse décider qui seront les autres personnes occupant notre table de jeu : il propose Alba, Maureen, Emilie, Constance, Fadette et Mauricette. Je regarde leurs mains s'emparer des cartes et je me dis qu'elles ont de plus jolis doigts que moi.

J'ai toujours fait des concessions et Rodolphe a occupé le terrain, choisissant notre région d'habitation, nos amis, nos loisirs et nos meubles. Je me remémore notre passé, j'ai aimé ses goûts avant de perdre définitivement le mien. Je le laisse courir le guilledou, mais ma compagnie lui importe, et il revient toujours me demander de faire une petite concession en allant manger des tripes, ou voir une corrida avec lui. Avec le temps, la corrida est passée de concession à habitude. Je fais la concession d'ouvrir les yeux, mes yeux me font la concession d'y voir avec un rond blanc au milieu. Je fais la concession d'ouvrir mes oreilles mais elles me font la concession de se boucher. Je n'entends plus le souffle des taureaux, ni leurs sabots, j'entends à peine la ola, et d'ailleurs je me demande s'il ne s'agit pas plutôt d'un klaxon.

L'après-midi, Rodolphe se promène dans le parc, il entreprend des gourdes et je reste à la fenêtre. Je ne veux pas l'irriter en le collant. S'il lève les yeux vers moi, je fais semblant d'arroser les bégonias. Il rayonne, il irradie mon Rodolphe, surtout avec un rond blanc au milieu.

Hier encore, j'ai fait une concession. Rodolphe avait bien voulu regarder le film avec moi, au lit plutôt que sur le fauteuil. Ensuite, il a dit que je devais comprendre qu'un homme comme lui ressente du désir, même pour sa vieille bonne femme. Et je lui ai donc accordé le droit d'emprunter la voie des sodomites, celle-là même interdite par notre sainte Bible. Et maintenant, comme je souffre ! Mais je dois faire des concessions. D'autant que Diane vient d'entrer à l'hospice. Son mari est mort, elle occupe la chambre au-dessus de la nôtre et si je ne crie pas pendant que Rodolphe me besogne, elle va me le prendre, elle ne rêve que de ça, c'est sûr ! Elle a gardé son visage d'enfant. J'ai lutté toute ma vie pour l'éviter, cachant ses invitations à Rodolphe. Je l'ai crainte pendant soixante-treize ans, cette fichue porcelaine de Diane. Depuis quelque temps, elle se refait une natte et elle y accroche le ruban bleu de jadis ; bleu Turquie, disait-elle, enfant, pour être sûre qu'on ne trouve pas le même en en réclamant à la mercière. Alors je fais la concession de beugler que c'est bon. Madame Savon, la voisine de palier, ne me parle plus. Elle dit que je suis dépravée, mais je fais la concession de le prendre comme un compliment. Et au moins, Diane pense que nous avons une vie épanouie.

J'ai quatre-vingt-huit ans, je dis oui aux pratiques non catholiques au risque de finir en enfer. Je ne dors plus, je ne mange plus, la surveillante générale pense que j'ai un lourd secret. Je crois plutôt que j'ai des bleus Turquie à l'âme. Toute ma vie, j'ai fait la concession de ne pas devenir mère, supputant que Rodolphe ne m'aimerait pas dans ce rôle, Diane me rend jalouse avec son petit bidon, et j'entame actuellement une grossesse nerveuse.

Les mots d'amour

On aura une chambre avec une petite fenêtre, des rideaux, des volets électriques, un matelas chauffant, une moquette épaisse, bleu ciel, des lampes, une télévision, une douche et une baignoire, des savons, un rasoir, des éponges, l'eau chaude, une cuisine, des murs secs, un lave-vaisselle, un séchoir, un four combiné, des plaques digitales, un réfrigérateur assez grand pour y ranger une semaine de courses. On aura des couteaux qui coupent, des fourchettes, des tasses neuves, des assiettes à fleurs et des plats de toutes tailles. Ovales, pour les rôtis, carrés pour les gratins. On sera bien. On aura un grille-pain, une bouilloire, une théière, une machine à gaufres, à crêpes, à croque-monsieur, à raclette, à pop-corn. La cafetière programmable coulera pendant notre douche et la porte d'entrée se fermera sans grincer. On voyagera en train, en avion, en bateau. On prendra une cabine avec balcon, un buffet avec dessert, un séjour avec rallonge. On mangera de la viande, du poisson, des fruits, des pièces montées.

Ça y est, elle dort.

Chaque soir, je la berce comme ça, avec des mots d'amour. Si elle se réveille, je lui dis qu'on fera des régimes, et elle se rendort.

On habite sur le parking du supermarché. Le jour, on voit les coffres des voitures se remplir. Dès que les larmes lui montent, je lui promets que c'est la solidarité qui s'organise, on nous aménage un logement, on viendra nous chercher quand il sera prêt ! Elle me sourit.

Je range les caddies vides des gens contre la pièce qu'ils laissent dedans. Entre deux caddies, je lui rapporte la monnaie, et elle me regarde toujours comme si je revenais de la guerre. Remplie d'admiration, elle me caresse l'épaule en me félicitant. Le dos voûté, pendant que je travaille, elle descend son rouge au goulot, mais quand je lui raconte les verres en cristal qu'on aura chez nous, d'un coup, elle se redresse et elle ressemble à ma princesse.

Le reproche

— Je mangerais une pêche melba et un saint-honoré, un chocolat liégeois puis un vacherin. Je n'hésiterais plus à prendre du plaisir.

Voilà ce que me répond ma femme, quand je lui demande ce qu'elle ferait s'il lui restait deux heures à vivre. Après, elle profite de ma question pour se jeter sur son reproche préféré, l'ennui. La fin du monde ? Non, ça ne me changerait pas tellement. C'est la fin du monde tous les jours, quand tu rentres. Et ce ne sont pas ces suppositoires pour dormir que tu me prêtes qui m'aident à moins m'emmerder. Je ne comprends d'ailleurs pas que tu t'intéresses à des livres de ce genre. C'est zéro.

Je me sens seule, poursuit-elle, je suis quelqu'un de très seul. Tu es là, mais au fond, c'est comme si tu n'y étais pas. Il n'y aurait pas le dîner, rituel que j'ai instauré sans télévision afin de sauver notre couple, j'aurais l'impression de vivre toute seule. Oh ! je m'y suis faite, je ne me plains pas. Mais fin du monde ou pas, pour moi, c'est bonnet blanc et blanc bonnet.

Dès que je lance une conversation, ma femme s'en fiche. La politique ? Un panier de crabes ! Le sport ? Des andouilles ! Le cinéma ? Parlons-en ! La cuisine étrangère est immangeable. Les femmes au pouvoir sont des salopes. La faim en Afrique, à d'autres ! Si j'aborde une question préoccupante dans mon travail, elle me dit : Tu es rentré à la maison ou tu es toujours au bureau ? Parce que si c'est le cas, retournes-y !

Elle clôt ainsi chaque sujet avant même que nous l'abordions.

Ce dont j'ai le droit de parler, à condition de ne pas la couper quand elle intervient à son tour, ce sont des astuces de détachage. On détache le chewing-gum avec un glaçon, l'encre sur le daim avec une gomme, le vin rouge avec de l'eau pétillante. Elle est incollable et nous fonctionnons en boucle sur ce sujet. Il n'est plus question pour moi d'aborder celui de nos enfants ingrats. Nous avons eu trois enfants normaux, ils font leur vie, ils sont gentils et je ne leur reprocherai jamais de ne pas venir nous voir plus souvent car je les comprends. A l'entendre, nous avons engendré des vipères et les enfants de ses amis sont beaucoup plus réussis que les nôtres.

Quand ceux qu'elle surnomme nos monstres d'égoïsme nous rendent visite, elle s'enferme dans sa chambre parce qu'elle n'arrive pas à supporter les échanges dans lesquels elle n'intervient pas. Dès que les enfants parlent entre eux, elle me prend pour complice et me demande ce qu'on fiche là, mais quand je participe à mon tour au bavardage des enfants, elle file dans son coin. Le givre recouvre le salon. On s'interroge sur ce qu'on a fait de travers. Le plus courageux des enfants s'y colle, va la retrouver, se fait réprimander parce qu'il ne la laisse pas seule. Il nous la ramène à bout de bras. Elle a les yeux rouges. Elle regarde son gâteau avec les larmes qui montent. Pourtant, on en a tous mangé. Mais quand on ne finit pas ses plats, c'est comme si on la crachait, elle.

Les enfants partent et ma femme s'enferme à nouveau toute seule dans la chambre parce que c'est de ma faute. Je suppose que si elle les avait faits avec un autre, ils auraient mangé davantage. En tout cas, je suis très fier de quelque chose. Cette fierté, je la porte comme une médaille, car je suis un héros : je n'ai jamais trompé ma femme.

Toutefois, si on annonçait la fin du monde, personne ne me pose la question mais, de mon côté, pendant que ma femme s'empiffrerait, je prendrais un bain. Je mettrais ma tête sous l'eau et je la laisserais envahir mes poumons. Je vivrais la fin du monde le premier. J'arriverais tout seul au paradis et je profiterais de l'Eden en attendant que ma femme me rejoigne pour pleurer sur les fruits et les fleurs parce que les fruits, évidemment, lui rappel-leraient ses enfants, et les fleurs, notre mariage ou les cimetières.

Rupture

Midi, l'instant de notre premier baiser sous l'horloge de la gare. Nous sommes le 8. Le quitter ce soir, alors que le 9 de chaque mois, il célèbre notre anniversaire, est sadique. Mais l'imaginer demain, à midi pile, séparé de moi et tressaillant au souvenir de notre heure anniversaire m'est insupportable. Je suis humaine. Désormais, chaque fois qu'il entendra douze coups, il pleurera. Me perdre ne sera pas chose facile. Il traversera une période sombre, mais il en ressortira grandi. Il finira par comprendre mon départ.

Le lui annoncer demain, date anniversaire donc, est pire qu'aujourd'hui. Mais attendre après-demain est carrément lâche. Durant deux jours, je ne vais penser qu'à le plaquer sans le lui avouer. Et le trahir est inconcevable. Il serait indélicat de penser à rompre sans le faire. Je vais donc le lui annoncer après le dîner. Très simplement. De façon carrée, propre. Je n'ai pas le choix. C'est ce soir ou je reporte carrément l'échéance à la semaine prochaine. Nous sommes déjà mercredi, et le lui dire juste avant le week-end serait criminel. Je ne peux pas l'imaginer seul durant deux jours, en tête à tête avec son désespoir. S'il est plongé dans son travail, tout ira bien. Le travail, c'est la santé ! Le lundi est le bon jour pour rompre. Dans deux semaines, nous fêterons nos un an de rencontre. Je ne peux donc plus traîner. Il est du genre à mettre les petits plats dans les grands. J'espère qu'il n'a pas déjà organisé un dîner ou une ânerie de ce genre. Bien sûr que je vais le plaquer ! Mais je ne veux pas le blesser, tu comprends ? En plus, il n'a reçu aucun signe avant-coureur. Je ne me suis jamais plainte de rien et les soirs où je te vois, je le retrouve toujours en lui déclarant mon amour. Ainsi, il ne me pose pas de questions sur mes retards.

Si je lui annonce que je le quitte par téléphone, je crains l'accident de voiture. Il pourrait faire un malaise. En plus, imaginons qu'il se fâche – on peut toujours rêver ! –, il me raccrochera au nez et je ne pourrai pas lui expliquer pourquoi je le quitte. A distance, il ne me laissera même pas le temps de finir ma phrase. Or il est impératif de lui énoncer la motivation de mon départ. Il doit savoir ce qui me pousse à agir, cela lui servira à se corriger. Dans un avenir proche, peut-être même beaucoup plus tôt qu'il ne le croie, d'autres femmes lui reprocheront la même chose que moi. C'est certain. Elle est intolérable, sa gentillesse. Mou ! Lent ! Doux !

Tendre! Un veau. Il doit absolument apprendre à se conduire comme un homme. Si des larmes lui montent aux yeux pendant mon explication, je le mettrai devant le fait accompli. Il constatera de lui-même qu'il est un peu gnangnan.

Et puis zut à la fin, ce n'est quand même pas de ma faute! S'il m'avait parfois remise à ma place au lieu de piquer du nez, nous n'en serions pas là. S'il ne s'était pas précipité quand j'avais froid, faim ou envie de quelque chose, je n'aurais pas de lui cette image tellement négative. Je n'ai jamais pu éternuer, même une fois, sans qu'il s'apitoie « Oh! toi, tu t'enrhumes. » Tu crois que c'est agréable pour une femme d'être traitée comme une princesse? Zéro pointé en virilité! Il a tout gâché. Il m'appelait même Chérie! Tu vois le genre! Quand je fais l'amour, pardon, mais j'aime mieux qu'on me traite de pute. Il l'entendra, il ne s'en tirera pas à si bon compte. J'aimerais te caresser, m'a-t-il dit l'autre jour. La fiotte! Mais qu'il le fasse! Ses conférences me sortent par les yeux. On se sert de sa femme, enfin! Quand on est un homme, on ne lui demande pas l'autorisation de la toucher. Tu me demanderais, toi? Non! Tu me prends. Même quand je ne veux pas. Et c'est bon. Quel con!

S'il se suicide, je serai quand même embêtée. J'ai la possibilité de lui écrire une lettre et de la lui donner ce soir. L'intérêt de la lettre, c'est qu'il pourra la relire. Mais s'il reste dormir avec moi, la nuit sera horrible. Et demain, j'ai une réunion importante de bonne heure. Tu imagines s'il passe la nuit à se disculper ? Il en est capable. Quand il a perdu son père, nous avons eu quatre jours épouvantables. Il disait vouloir prendre sur lui, mais il craquait à tout bout de champ. Il me promettait de se ressaisir et il craquait à nouveau. Quand il saura que je le largue, j'ai bien peur que la crise recommence. Et les drames ne sont pas ma tasse de thé.

Remarque, je peux lui remettre la lettre demain matin, avant son départ. Mais rebelote ! S'il ne l'ouvre pas immédiatement, il sera déjà dans la rue quand il la lira et je ne souhaite pas prendre ce risque. Vraiment, la rue me fait peur. D'autant qu'il a des tendances agoraphobes. La foule pourrait l'oppresser. Une moto le renverser. Il sera sous le choc. Je vais plutôt le préparer tranquillement, lui dire que je l'aime un peu moins. On s'était promis de s'aimer sans faiblir. Je peux lui avouer que j'ai changé d'avis. C'est honnête. Ou lui expliquer que je ne me sens pas digne de son amour. Le valoriser ? Tu la lui reprocherais, toi, sa trop grande gentillesse ? Je ne vais quand même pas lui dire qu'il est un cadeau, et le larguer dans la foulée. En plus, ce serait mentir. Et je n'aime pas trop l'idée. Quoi qu'un pieux mensonge… A la limite, je peux lui promettre que je n'aimerai plus jamais quelqu'un aussi fort que je l'ai aimé. Ça fait toujours plaisir. Dans l'ensemble, j'ai remarqué que l'ego prend une place importante dans les ruptures. Alors les phrases toutes faites rassurent. Elles vous rappellent vaguement la rupture précédence. Elles fixent des repères. Voilà. Je lui dirai : Je n'ai jamais aimé comme je t'aime et je n'aimerai jamais plus comme je t'ai aimé, mais je te quitte.

Après, je verrai en fonction de sa réaction. S'il le prend de travers, je lui parlerai carrément de sa gentillesse. S'il le prend avec diplomatie, je le féliciterai pour sa flexibilité. Et tant pis pour la suivante. Elle le lui dira elle-même que sa tendresse est répugnante. Après tout, je n'ai pas pour mission de transformer un tas de miettes en pain.

En tout cas, je ne lui dirai pas que je suis avec toi. Ce ne serait pas lui rendre service. Il verserait dans la facilité et te mettrait la responsabilité de la rupture sur le dos. Bien facile de se décharger sur son frère ! Alors que c'est lui qui n'a pas su me garder. Lui et personne d'autre.

La fin

Elle est morte dans d'atroces souffrances. Elle voulait cacher ses douleurs et vivre ses tracas sans les imposer à personne, mais elle n'a pas eu une agonie à la hauteur de son éthique. Elle a mis une partie de la soirée puis toute la nuit. J'ai dû mettre mes bouchons d'oreille pour ne plus l'entendre râler. J'avais poussé son fauteuil dans la cuisine afin de me reposer et de prendre des forces pour la suite. Les obsèques sont toujours tellement chiantes à organiser.

Sur notre lit, son visage est rigide et je ne dirais pas qu'elle fait ce qu'on appelle une belle morte. Vivante, elle était époustouflante, mais morte, vraiment, elle est vilaine. Notre voisine m'a serré dans ses bras en me parlant de l'apaisement sur les traits de ma femme. Si ça, c'est de l'apaisement, dites-moi ce qu'est l'angoisse ! J'ai dû prendre un marteau pour lui fermer la bouche. On n'a jamais vu morte plus contractée. Enfin sereine, a soupiré le docteur, en arrivant. Là, j'ai éclaté de rire. Ses doigts sont si crispés qu'on n'arrive même pas à les croiser ! C'est à se demander s'ils ont pu servir à quelque chose de leur vivant. Je ne ferai pas de mauvais esprit aujourd'hui, mais à part caresser le chien et les mettre en porte-voix pour vomir sans que je la remarque, je n'ai pas le souvenir, ces derniers temps, qu'elle se soit servie de ses deux mains. Depuis trois ans, on parle exclusivement marqueurs, vertiges et calvitie. A force de croiser les doigts, voilà le résultat.

Comme elle est morte à la maison, on va l'y laisser jusqu'à l'enterrement. La voisine m'a entendu crier. Je ne m'en souviens pas. J'ai dû m'énerver, il m'arrive souvent de pester en me prenant les pieds dans ses tuyaux. Je n'ai jamais apprécié ce matériel autour d'elle. Je voulais brancher la radio et je débranchais le respirateur. Je croyais mettre en marche l'aspirateur et c'était la pompe à morphine.

La voisine a tenu à s'occuper de tout. On ne peut rien contre les obsédés du décès. Il y a toujours un pot de colle pour vous prendre aux épaules, pile au moment où le poids s'en va. Elle a fermé les rideaux. J'ai eu un mal fou à lui faire admettre que le matin, au contraire, on remontait sa montre et on ouvrait les fenêtres. J'aurais volontiers laissé mon vieux pull à ma femme. Elle me l'avait demandé hier soir quand elle commençait à geler, mais la voisine a tenu à le lui retirer pour lui mettre à la place une robe d'été. Je lui ai empêché l'accès à la penderie mais elle m'a à nouveau tenu le bras, avec cette fermeté insupportable de bénévole. Ses traitements avaient donné du ventre à ma femme et même vidée, son cadavre est resté très ballonné. La voisine a eu beaucoup de mal à lui passer sa robe ! J'ai été vengé et j'ai bien ri.

J'accueille au salon les amis qui nous rendent visite.

Si jeune, disent-ils.

Jeune, jeune, comme ils y vont ! Elle a beaucoup menti sur son âge. Elle disait que j'avais vingt ans de plus qu'elle alors que je n'en avais que dix-neuf.

Je prépare des cocktails. Je me sers du shaker de ma femme pour que les amis ne s'offusquent pas de boire un coup en ce jour de deuil, et de toute façon, je ne mets pas d'alcool. On a tout bu hier, juste avant qu'elle claque. Elle disait Je vais y aller. Agenouillé devant ses roues, je lui ai demandé de m'écraser. Elle a voulu que je la rapproche de l'évier. Contre le carrelage de la cuisine, elle a posé sa tête au frais. Elle la mettait souvent là, contre la boîte à biscottes, ou dans le frigidaire. Son petit chien ne veut plus se lever. On n'a qu'à penser qu'elle est descendue faire les courses. Il lui arrivait de nous laisser seuls un jour entier. Je verrai ce que ça donnera, une fois la nuit tombée, quand le réveil sonnera les sept heures de ses trente-huit gélules, quand je remettrai la main sur l'enveloppe qu'elle m'a donnée hier.

— Pour plus tard, a-t-elle dit.

Les paperasses n'ont jamais été mon fort.

Quand les amis me voient accroché à son shaker, ils pleurent les uns après les autres en le reconnaissant, comme si c'était son vieux porte-jarretelle. Dans le groupe, elle a flirté avec pas mal d'amis avant moi. Mais c'est avec moi qu'elle s'est finalement fixée. J'étais fier. Ils me jalousaient tous. Elle était vraiment bien, pas comme leurs femmes à eux. Son petit shaker, disent-ils, comme pour dire son petit cul.

Entre le prêtre qui veut à tout prix que je rédige un texte à la morte et le cercueil en hêtre foncé de la ligne Fantaisie, devant lequel je me suis vu hésiter parce que la gamme Mélody n'était pas mal non plus, j'ai passé ma journée plié en deux. Le représentant des Pompes funèbres a évoqué la possibilité d'un fourgon avec ou sans rideau. Il semblerait que je ne puisse plus lui faire grand mal, alors des rideaux, pourquoi pas, mais avec ma femme, on avait l'habitude de faire l'amour les fenêtres ouvertes. On se disait Tant mieux si les autres profitent.

Tout le monde tient à lui apporter des fleurs. Des couronnes ? me demande-t-on. Est-ce que je préfère des croix, des gerbes ou des bouquets ? Je serais d'avis qu'on ne lui offre rien. Elle s'énervait à avoir à chercher des vases au dernier moment quand elle invitait des gens à dîner. Quelqu'un me demande une photo d'elle à poser sur la tombe. Chauve ? Perruque ? Bronzée ? Terreuse ? Je n'arrive pas à me rappeler la dernière fois où on a été heureux. Heureux sans le trou, le trou là, dans lequel on tombait dès qu'on commençait à rire. Oui, chaque fois, on se rappelait le trou et on tombait dedans. Je me doutais qu'en partant, elle n'emporterait pas le trou. Je me souviens des séjours à l'hôpital, de la chambre stérile, des subterfuges pour lui faire avaler sa soupe. Je me souviens de la chute de sa première dent, de la souris qui n'est jamais passée. Mais en dehors de ça, rien. Ma femme ne m'a rien laissé. A part les bouteilles d'oxygène, le fauteuil, la chaise percée. Demain, quelqu'un viendra tout reprendre et ma femme n'aura jamais existé.

La voisine m'apporte des tasses d'eau chaude.
— Buvez, me dit-elle, ça peut vous réchauffer.

Les souvenirs, comme les odeurs, se ravivent avec un peu d'eau. Et l'eau, d'où voulez-vous que je la sorte à présent qu'elle n'est plus là pour me faire suer ? De mes yeux ?

Table

CET OUVRAGE A ÉTÉ COMPOSÉ
PAR DATAGRAFIX
ET ACHEVÉ D'IMPRIMER
SUR ROTO-PAGE
PAR L'IMPRIMERIE FLOCH
À MAYENNE EN MARS 2013

N° d'édition : 17627 – N° d'impression : 84411
Dépôt légal : avril 2013
Imprimé en France

⑤ 267×10